recettes gourmandes

en moins d'1 heure

recettes gourmandes

en moins d'1 heure

EDITIONS
ATLAS

Édité par :
Éditions Glénat
© Éditions Atlas, MMVI-MMIX
© Éditions Glénat, pour l'adaptation, MMIX

Services éditoriaux et commerciaux :
Éditions Glénat – 39, rue du Gouverneur-Général Éboué
92130 Issy-les-Moulineaux

Cet ouvrage est une édition partielle de l'encyclopédie « Recettes des copains » publiée par les Éditions Atlas, œuvre collective
à laquelle ont contribué Emmanuelle Naddeo, directrice de collection et auteur; Estelle Ditta, Christine Serbource, auteurs.

Crédits photographiques
Couverture : Bagros/Sucré Salé
Intérieur : Philippe Exbrayat
Pour les pages 8 : Adam/Photocuisine/Corbis ; 48 : Roulier/Turiot/Photocuisine/Corbis ; 90 : Kettenhofen/Photocuisine/Corbis ;
132 : Hussenot/Photocuisine/Corbis.

Achevé d'imprimer en août 2009 en Italie par LEGO S.p.A.
Viale dell'industria, 2
36100 Vicenza, Italie
Dépôt légal : septembre 2009
ISBN : 978-2-7234-7178-7
Le papier utilisé pour la réalisation de ce livre provient de forêts gérées de manière durable.

Introduction

Vous souhaitez préparer un bon repas après une journée de travail ?
Vous recevez des amis pour dîner mais la perspective de passer
l'après-midi à cuisiner ne vous réjouit pas ?
Cet ouvrage de la nouvelle collection *Les bons p'tits plats* sera bientôt
pour vous un compagnon indispensable ! Feuilletés au chèvre,
spaghettis au pistou, velouté de carottes au cumin, filet mignon
de porc rôti aux figues, côtelettes d'agneau panées au romarin,
riz aux raisins secs et pignons, financiers aux fraises, poires pochées
au safran : ce livre présente des recettes simples et conviviales,
qui seront prêtes en moins d'une heure. Succès garanti !

L'éditeur

Sommaire

Entrées

Asperges vertes au parmesan

Louis XIV l'exigeait sur sa table en toute saison. Considérée comme un mets de luxe pendant longtemps, l'asperge reste chère mais s'invite aujourd'hui plus souvent dans nos assiettes.

> SAISON : toute l'année
> COÛT : ●●●
> DIFFICULTÉ : ●●●
> PRÉPARATION : 15 min
> CUISSON : 15 min

INGRÉDIENTS pour 4 personnes
- 24 asperges vertes surgelées
- 8 tranches de jambon de Parme
- 100 g de roquette
- 20 g de beurre
- 30 g de parmesan râpé
- 4 cuil. à soupe d'huile d'olive
- 2 cuil. à soupe de vinaigre balsamique
- Poivre

1 Dans une grande casserole d'eau bouillante, disposez délicatement les asperges et faites-les cuire 7 minutes à la reprise de l'ébullition.

2 Égouttez-les sur un papier absorbant. Confectionnez huit fagots en roulant trois par trois les asperges dans les tranches de jambon de Parme.

3 Disposez les fagots dans un plat à gratin allant au four. Faites ramollir le beurre au micro-ondes et fouettez-le avec le parmesan râpé. Poivrez. Répartissez le mélange sur les asperges.

> DIÉTÉTIQUE : jusqu'à 200 Kcal
> ACCOMPAGNEMENT : servez avec un vin blanc de type saint-véran.

Mon conseil santé
Voilà un légume qui se fait l'allier idéal de nos programmes minceurs ! L'asperge est réputée dépurative, diurétique, laxative et tonique. Sa consommation contribue au bon fonctionnement de notre organisme puisqu'elle contient de nombreuses vitamines (A, B, C, E), des sels minéraux comme le potassium et le phosphore.

4 Faites gratiner les asperges 4 minutes sous le gril du four. Pendant ce temps, préparez l'assaisonnement de la roquette en émulsionnant l'huile et le vinaigre. Poivrez.

5 Assaisonnez la roquette et disposez-la dans des assiettes. Posez délicatement par-dessus deux fagots d'asperges. Servez sans attendre.

Asperges vertes
au parmesan

Bouchées
de saumon au caramel

Les amateurs de sucré-salé vont apprécier ces mises en bouche à la fois inventives et savoureuses. Réservez ces amuse-gueule pour un dîner d'exception.

> SAISON : été
> COÛT : ●●●
> DIFFICULTÉ : ●●●
> PRÉPARATION : 15 min
> CUISSON : 15 min

INGRÉDIENTS pour 4 personnes
- 2 pavés de saumon (sans la peau)
- 1 cuil. à soupe de miel
- 50 g de sucre en poudre
- 10 cl d'eau
- 1 cuil. à soupe de graines de sésame

1 — Dans une casserole à fond épais, faites un caramel avec le sucre, le miel et l'eau. Portez à ébullition, puis laissez blondir à feu doux une bonne quinzaine de minutes.

2 — Pendant ce temps, rincez les filets de saumon sous l'eau courante et épongez-les sur du papier absorbant. Coupez chacun des pavés en quatre morceaux réguliers.

3 — Faites cuire le saumon dans une poêle antiadhésive sans ajout de matière grasse pendant 3 minutes de chaque côté.

4 — N'attendez pas que le caramel durcisse : versez-le dans une assiette creuse, puis imbibez-en les deux faces des morceaux de saumon.

5 — Disposez les bouchées de saumon dans un plat de présentation, parsemez-les de graines de sésame et piquez chaque bouchée avec un cure-dent en bois. Servez aussitôt.

> DIÉTÉTIQUE :
> jusqu'à 200 Kcal

> ACCOMPAGNEMENT :
> si vous le consommez en plat, proposez du riz nature.

Mon conseil santé
Il est conseillé de manger deux ou trois fois du poisson par semaine. Le saumon est un poisson gras, au même titre que le maquereau ou la sardine. Comme tous les poissons gras, il est riche en oméga 3, les acides gras essentiels qui jouent un rôle certain dans la prévention des maladies cardio-vasculaires.

Bouchées
de saumon
au caramel

Entrées |

Bricks
à la provençale

Les feuilles de bricks, appréciées des petits comme des grands, sont toujours un régal. Selon vos réserves, garnissez-les de poisson, de légumes, de fromage ou de viande.

> SAISON : toute l'année
> COÛT : ●●●
> DIFFICULTÉ : ●●●
> PRÉPARATION : 10 min
> CUISSON : 20 min

INGRÉDIENTS pour 4 personnes
- 12 feuilles de bricks
- 1 boîte de tomates concassées
- 1 boule de mozzarella
- 1 gousse d'ail
- 2 pincées d'herbes de Provence
- 10 olives vertes dénoyautées
- 2 cuil. à soupe d'huile d'olive
- Sel, poivre

1 Épluchez et émincez l'ail. Détaillez la mozzarella en fines tranches et concassez grossièrement les olives.

2 Dans une sauteuse, faites revenir les tomates concassées et l'ail dans 1 cuillerée d'huile d'olive. Ajoutez les herbes de Provence et les olives, salez et poivrez et laissez cuire 10 minutes.

3 Disposez les feuilles de bricks sur un plan de travail et huilez-les au pinceau ou avec du papier absorbant. Superposez les feuilles trois par trois. Préchauffez le four à 180 °C (th. 6).

> DIÉTÉTIQUE :
> de 200 à 400 Kcal

> ACCOMPAGNEMENT :
> servez avec une salade verte aillée.

4 Retirez l'excédent de jus de la fondue de tomates et garnissez-en le centre des feuilles. Ajoutez les tranches de mozzarella. Poivrez à nouveau.

5 Refermez les pans des feuilles de bricks, de manière à former un rectangle. Mettez-les dans un plat allant au four, badigeonnez-les du reste d'huile avec le pinceau. Enfournez 10 minutes.

Mon astuce
Vous pouvez faire cuire les bricks dans une friteuse ou une sauteuse (il faut au moins 8 cm d'huile). Placez celle-ci à feu vif. Mettez à côté une assiette recouverte de papier absorbant. Lorsque la friture commence à fumer, baissez le feu, plongez les bricks à l'aide d'une écumoire et laissez-les cuire environ 4 minutes. Aidez-vous de l'écumoire pour les déposer sur le papier absorbant.

Bricks
à la provençale

Bricks de chèvre
à la menthe

Les feuilles de brick se prêtent à toutes sortes de préparations.
Le brick croustillant avec son fromage fondant et sa pointe de menthe
digestive constitue une entrée simple et raffinée à la fois.

> SAISON : toute l'année
> COÛT : ●●●
> DIFFICULTÉ : ●●●
> PRÉPARATION : 10 min
> CUISSON : 10 min

INGRÉDIENTS pour 4 personnes
- 4 feuilles de brick
- 2 crottins de chèvre frais
- 10 feuilles de menthe
- 200 g de roquette
- 1 cuil. à soupe de miel
- 2 cuil. à soupe d'huile
- 2 cuil. à soupe de vinaigrette légère aux herbes
- Sel, poivre

1 Préchauffez le four à 210 °C (th. 7). Badigeonnez légèrement les feuilles de brick d'huile à l'aide d'un pinceau de cuisine.

2 Pliez les feuilles de brick en deux. Coupez les crottins de chèvre en deux dans le sens de la largeur.

3 Placez un demi-chèvre au milieu de la feuille de brick. Ajoutez une noisette de miel. Saupoudrez de menthe fraîche ciselée. Salez et poivrez. Huilez la plaque du four.

> DIÉTÉTIQUE :
> de 200 à 400 Kcal

> ACCOMPAGNEMENT :
> accompagnez d'un verre de rosé, d'olives et de radis.

Mon astuce
Vous pouvez utiliser de l'huile en spray de manière à en mettre le moins possible. L'huile est indispensable pour que les feuilles de brick ne se brisent pas et soient bien croustillantes une fois cuites. Pour la salade, préparez une vinaigrette faite avec 3 cuillerées d'huile d'olive, le jus de 1/2 citron, du sel, du poivre, du persil et de la ciboulette.

4 Pliez les feuilles de brick en rabattant chaque côté de manière à bien emballer le fromage en carré sans trop le serrer. Déposez les bricks sur la plaque.

5 Enfournez et laissez cuire 10 minutes environ. Les bricks doivent être dorés. Déposez un peu de salade dans quatre assiettes en laissant un espace au milieu pour y placer le brick. Servez chaud.

Bricks de chèvre
à la menthe

Bricks en triangle à la viande

Tout le monde se régale de ces feuilles. Une fois acquis le coup de main pour les plier, c'est un jeu d'enfant de les farcir d'ingrédients sortis du placard.

> SAISON : toute l'année

> COÛT : ●●●

> DIFFICULTÉ : ●●●

> PRÉPARATION : 15 min

> CUISSON : 25 min

INGRÉDIENTS pour 18 bricks
- 9 feuilles de bricks
- 150 g d'oignons surgelés
- 2 cuil. à soupe de persil haché surgelé
- 1 cuil. à soupe de coriandre hachée surgelée
- 2 cuil. à soupe d'huile d'olive
- 1 cuil. à soupe de cumin en poudre
- 400 de bœuf haché • 1 œuf
- Huile d'arachide
- Sel, poivre

1 Dans une sauteuse, faites revenir les oignons dans l'huile d'olive. Lorsqu'ils ont bien sué, ajoutez la viande.

2 Poivrez, ajoutez le cumin, laissez cuire 5 minutes en remuant régulièrement. Mettez la viande dans un saladier. Ajoutez les herbes et l'œuf. Salez légèrement. Remuez.

3 Réalisez des triangles : découpez chaque feuille de brick en deux, repliez la partie arrondie sur l'autre de façon à obtenir un rectangle.

4 Mettez une bonne cuillerée du mélange sur un des deux bords et repliez en triangle jusqu'à l'autre extrémité de la feuille. Rentrez le bout de brick restant dans le repli du triangle. Faites frire dans une poêle avec 1 cm d'huile jusqu'à coloration.

5 Retournez les bricks à mi-cuisson, au bout d'environ 3 minutes. Retirez-les à l'écumoire au fur et à mesure et posez-les sur du papier absorbant.

> DIÉTÉTIQUE : de 200 à 400 Kcal

> ACCOMPAGNEMENT : servez avec une salade verte aux pignons de pin et raisins secs.

Mon astuce
Vous pouvez également, à la place de l'œuf, assouplir la farce avec de la mie de pain (50 g de baguette ou de biscotte écrasée), ou encore avec la chair d'une pomme de terre écrasée.

Bricks en triangle
à la viande

Entrées |

Crème de fèves aux copeaux de parmesan

Selon les circonstances, vous pouvez servir ce velouté chaud ou glacé. Ces légumes verts de printemps donnent un velouté onctueux et rafraîchissant.

> SAISON : toute l'année
> COÛT : ●●●
> DIFFICULTÉ : ●●●
> PRÉPARATION : 10 min
> CUISSON : 15 min

INGRÉDIENTS pour 4 personnes

- 1 kg de fèves
- 50 cl de bouillon de légumes
- 40 g de beurre
- 1 cuil. à soupe de cerfeuil
- 50 g de parmesan
- Huile d'olive
- Sel, poivre du moulin

1 Faites bouillir une grande casserole d'eau. Écossez les fèves et plongez-les 3 minutes dans l'eau bouillante. Égouttez-les et passez-les sous l'eau froide.

2 Dérobez les fèves, c'est-à-dire enlevez leur peau fine qui, grâce à ce premier bain, chaud et froid, se retire facilement.

3 Dans une grande casserole ou un faitout, portez à ébullition 50 cl d'eau salée avec le cube de bouillon de légumes émietté. Détaillez le parmesan en copeaux à l'aide d'un couteau économe.

> DIÉTÉTIQUE :
> jusqu'à 200 Kcal

> ACCOMPAGNEMENT :
> servez avec de petits croûtons aillés.

Mon astuce
Vous pouvez présenter cette crème de fèves accompagnée de fines tranches de lard grillées. Vous pouvez préparer des petits croûtons de pain d'épices en faisant revenir dans le beurre des dés de pain d'épices. Parsemez-les sur le velouté.

4 Versez les fèves et le cerfeuil dans le bouillon et laissez-les cuire 10 minutes (les fèves doivent être tendres). Mixez-les. Remettez la crème de fèves dans la casserole avec le beurre.

5 Salez et poivrez le velouté et mélangez. Versez-le dans des petits verres, arrosez-le d'un trait d'huile d'olive et décorez-le de copeaux de parmesan.

Crème de fèves
aux copeaux
de parmesan

Entrées |

Feuilletés
au chèvre

Accompagnés d'une salade, ces feuilletés feront une entrée parfaite : ils enthousiasmeront les papilles de tous vos amis par leur simplicité et leur goût inimitable.

> **SAISON** : toute l'année
> **COÛT** : ●●●
> **DIFFICULTÉ** : ●●●
> **PRÉPARATION** : 15 min
> **CUISSON** : 15 min

INGRÉDIENTS pour 6 personnes
- 2 rouleaux de pâte feuilletée
- 2 bûches de chèvre
- 1 pot de miel liquide
- Herbes de Provence
- 1 œuf

1 Déroulez la pâte feuilletée. À l'aide d'un verre de petit diamètre, découpez des cercles de pâte.

2 Huilez une feuille d'aluminium. Déposez la moitié des cercles de pâte dessus, en les séparant bien les uns des autres.

3 Découpez des rondelles de chèvre d'environ 5 mm d'épaisseur. Posez ensuite chacune d'elles sur chaque rond de pâte.

4 Répandez 1/2 cuillère à café de miel sur chaque chèvre. Parsemez d'herbes de Provence.

5 Avec le reste des cercles de pâte, recouvrez les fromages puis pincez les bords pour bien les souder. Dorez le dessus de chaque feuilleté au jaune d'œuf puis enfournez 15 min à 200°C.

> **DIÉTÉTIQUE :**
> de 200 à 400 Kcal

> **ACCOMPAGNEMENT :**
> servez avec une salade de
> jeunes pousses d'épinards.

Mon astuce
Attention, le chèvre a tendance à couler à la cuisson. La largeur de pâte autour du chèvre doit donc être assez conséquente pour pouvoir être soudée facilement au cercle de pâte supérieur. Pour bien faire, utilisez le blanc d'œuf qui solidifiera la jointure, et comme toujours, surveillez la cuisson !

Feuilletés
au chèvre

Entrées |

Minestrone de légumes au basilic

Cette soupe italienne composée de légumes variés de saison est souvent agrémentée d'ail, de riz ou de pâtes et relevée de basilic.

> SAISON : printemps-été

> COÛT : ●●●

> DIFFICULTÉ : ●●●

> PRÉPARATION : 20 min

> CUISSON : 10 min

INGRÉDIENTS pour 4 personnes

- 4 tomates • 3 carottes
- 3 courgettes
- 150 g de haricots verts
- 150 g de haricots rouges en boîte • 150 g de macaronis
- 1 gousse d'ail
- 1 oignon • 10 feuilles de basilic
- 1 cuil. à café de vinaigre de vin
- 1/2 litre de bouillon de légumes
- 1 pincée de safran
- 2 cuil. à soupe d'huile d'olive
- Sel, poivre

1 La veille, faites cuire les haricots rouges 2 heures dans une grande casserole d'eau à feu doux. Le lendemain, portez une casserole d'eau à ébullition et ébouillantez les tomates 1 minute.

2 Pelez les tomates et coupez-les en lanières. Faites cuire les macaronis dans une grande quantité d'eau bouillante. Pelez et hachez l'ail et l'oignon. Pelez les carottes et coupez-les en dés.

3 Rincez et taillez les courgettes en dés. Équeutez les haricots verts, rincez-les et coupez-les en deux. Ébouillantez 5 minutes les haricots verts, les courgettes et les dés de carottes. Égouttez.

> DIÉTÉTIQUE : jusqu'à 200 Kcal

> ACCOMPAGNEMENT : servez à part du parmesan râpé et des tranches de pain de campagne grillées.

4 Dans une sauteuse, faites sauter les légumes (sauf les tomates) avec l'ail et l'oignon dans 1 cuillerée à soupe d'huile d'olive. Ajoutez les macaronis, les tomates et la moitié du basilic.

5 Versez le vinaigre, le bouillon et 1 pincée de safran. Salez et poivrez. Laissez cuire une quinzaine de minutes. Servez dans des assiettes creuses blanches. Décorez de feuilles de basilic.

Minestrone
de légumes au basilic

Entrées |

Mini-financiers figues noisettes

Besoin d'idées pour les apéritifs de fin d'année ?
Pensez à ces petits financiers sucrés-salés très originaux.

> SAISON : hiver
> COÛT : ●●●
> DIFFICULTÉ : ●●●
> PRÉPARATION : 20 min
> CUISSON : 15 min

INGRÉDIENTS pour 20 mini-financiers

- 2 blancs d'œufs
- 40 g de beurre demi-sel
- 2 cuil. à soupe d'huile de noisette
- 60 g de gruyère râpé
- 6 figues sèches
- 30 g de poudre de noisette
- 60 g de farine

1 Dans un bol, battez légèrement les blancs d'œufs. Faites fondre le beurre dans une casserole avec l'huile de noisette. Ajoutez les blancs battus et remuez.

2 Dans un saladier, mettez le gruyère râpé avec la poudre de noisette. Ajoutez la farine. Remuez bien.

3 Préchauffez le four à 210 °C (th. 7). Versez le mélange beurre-huile-œufs sur la préparation au gruyère. Mélangez avec une cuillère en bois.

4 Remplissez aux deux tiers un moule en silicone de mini-financiers. Coupez les figues en morceaux dans la longueur, de façon à en obtenir vingt.

5 Au centre de chaque mini-financier, enfoncez un morceau de figue. Enfournez une douzaine de minutes en surveillant la cuisson. Laissez tiédir avant de démouler.

> DIÉTÉTIQUE :
> de 200 à 400 Kcal

> ACCOMPAGNEMENT :
> servez avec du champagne ou un vin blanc pétillant.

Ma variante
Pour une mise en bouche sur le thème de la figue, proposez des cuillères apéritives de figues rôties au miel.

Mini-financiers
figues noisettes

Entrées |

Rillettes
de sardine

À grignoter sur le pouce ou présentées sur des tartines grillées, les rillettes de sardine feront sensation. Une recette rapide et savoureuse.

> SAISON : toute l'année

> COÛT : ●○○

> DIFFICULTÉ : ●○○

> PRÉPARATION : 15 min

> CUISSON : aucune

INGRÉDIENTS pour 4 à 6 personnes
- 2 boîtes de sardines à l'huile
- 100 g de fromage frais
- 1 échalote • 1 carotte
- 1 cuil. à café de câpres
- 1/2 citron
- 1 cuil. à soupe de ciboulette ciselée
- Sel, poivre

1 Sortez les sardines de leur boîte à l'aide d'une fourchette et égouttez-les. Disposez-les sur une assiette, ouvrez-les en deux, retirez les arêtes et coupez-les grossièrement.

2 Pelez l'échalote et hachez-la finement en même temps que les câpres égouttées. Pressez le jus de 1 demi-citron. Pelez la carotte et râpez-la très finement à la mandoline.

3 Mettez le fromage dans un saladier. Ajoutez le mélange d'échalote et de câpres, la carotte râpée, la moitié de la ciboulette et le jus de citron. Salez, poivrez et mélangez bien le tout.

4 Ajoutez les sardines à la préparation et mélangez avec une fourchette sans broyer les sardines – il doit rester des petits morceaux.

5 Présentez les rillettes de sardine dans un joli compotier et saupoudrez du reste de ciboulette. Réservez au frais jusqu'au moment de servir.

> DIÉTÉTIQUE :
de 200 à 400 Kcal

> ACCOMPAGNEMENT :
un assortiment de pains grillés : aux céréales, aux raisins, aux noix, au levain...

Mon astuce
Si vous préparez cette recette pour un buffet, présentez les rillettes tartinées sur du pain de campagne grillé, décorées avec un émincé d'oignon rouge ou des morceaux d'olive noire et verte, ou encore quelques feuilles de coriandre ou quelques brins de ciboulette.

Rillettes
de sardine

Entrées |

Salade
au camembert pané

Une salade surprenante qui plaira aux petits comme aux grands.
Servez avec une salade verte relevée d'une vinaigrette ou en apéritif
avec une sauce au fromage blanc et aux fines herbes.

> SAISON : toute l'année
> COÛT : ●●●
> DIFFICULTÉ : ●●●
> PRÉPARATION : 20 min
> CUISSON : 5 min

INGRÉDIENTS pour 4 personnes

- 4 tranches de pain de mie
- 1 camembert • 2 œufs
- 4 cuil. à soupe de farine
- 4 cuil. à soupe d'huile végétale
- 1 cœur de laitue

Pour la vinaigrette
- 1 cuil. à soupe de vinaigre balsamique
- 3 cuil. à soupe d'huile d'olive
- Sel, poivre

1 Lavez et essorez la salade. Préparez la vinaigrette : dans un bol, émulsionnez le vinaigre et l'huile, salez et poivrez. Réservez.

2 Détaillez le camembert en rectangles réguliers. Retirez la croûte du pain de mie et mixez la mie au robot jusqu'à l'obtention d'une chapelure fine. Mettez-la dans une assiette creuse.

3 Mettez la farine dans une autre assiette. Battez les œufs et mettez-les dans une troisième assiette. Roulez le camembert dans la farine, puis dans les œufs battus et enfin dans la chapelure.

> DIÉTÉTIQUE :
> 400 Kcal et plus

> ACCOMPAGNEMENT :
> comme en Angleterre, servez avec une gelée de groseilles.

Mon astuce
Pour gagner du temps, remplacez le pain de mie réduit en chapelure par 100 g de chapelure.
Pour les amateurs de saveurs sucrées-salées, versez sur les allumettes de camembert un peu de miel liquide.

4 Faites chauffer l'huile dans une sauteuse. Lorsqu'elle est chaude, faites dorer chaque quartier de camembert sur toutes les faces, 1 minute de chaque côté.

5 Mélangez la salade et la vinaigrette. Répartissez-la dans des coupelles individuelles suffisamment grandes. Répartissez les quartiers de camembert par-dessus. Servez.

Salade
au camembert pané

Entrées |

Salade de picodons aux figues et melon

Un mariage fruits-fromage promis au succès. Cette recette est facile et rapide à préparer. À réserver aux amateurs de sucré-salé.

> SAISON : été-début automne

> COÛT : ●●●

> DIFFICULTÉ : ●●●

> PRÉPARATION : 15 min

> CUISSON : 5 min

INGRÉDIENTS pour 4 personnes

- 4 picodons
- 1 melon
- 200 g de mesclun
- 8 figues
- 2 tranches de jambon de pays
- 4 cuil. à soupe d'huile d'olive
- 2 cuil. à soupe de vinaigre balsamique
- Herbes de Provence
- Sel, poivre

1 Coupez le melon en deux, épépinez-le, retirez la peau, détaillez-le en gros dés et poivrez-le légèrement. Lavez et essorez le mesclun.

2 Dans un bol, émulsionnez la vinaigrette : fouettez à la fourchette le vinaigre balsamique avec l'huile d'olive, salez et poivrez.

3 Rincez les figues, essuyez-les et coupez-les en deux. Détaillez le jambon de pays en lanières. Mettez les picodons dans un plat allant au four.

4 Arrosez les fromages d'un filet d'huile d'olive, parsemez-les d'herbes de Provence et faites-les griller 5 minutes sous le gril du four.

5 Disposez les picodons au centre des assiettes et entourez-les de mesclun, de figues et de dés de melon. Ajoutez le jambon de pays. Arrosez de vinaigrette et servez.

> DIÉTÉTIQUE : de 200 à 400 Kcal

> ACCOMPAGNEMENT : servez avec un vin rouge corsé de type madiran.

Mon marché
Prenez des picodons, des crottins ou des cabécous relativement fermes... ou n'importe quelle sorte de fromage de chèvre, ni trop frais ni trop sec.

Salade de picodons
aux figues et melon

Salade de soja, crevettes et ananas

Voici une salade exotique, légère et pleine de douceur.
Toute simple à réaliser, elle sera du meilleur effet.

> SAISON : hiver
> COÛT : ●●○
> DIFFICULTÉ : ●○○
> PRÉPARATION : 15 min
> CUISSON : 2 min

INGRÉDIENTS pour 4 personnes

- 300 g de germes de soja
- 12 - 16 grosses crevettes roses cuites
- 200 g d'ananas en boîte
- 1 carotte
- 100 g de cacahuètes
- 1 citron
- 2 cuil. à soupe de sauce soja
- 1 cuil. à soupe de sucre
- 10 feuilles de menthe

1 Pressez le citron et versez le jus dans un saladier. Ajoutez la sauce soja, le sucre et 3 cuillerées à soupe de jus d'ananas.

2 Faites bouillir une casserole d'eau et faites blanchir les germes de soja 2 minutes après la reprise de l'ébullition. Rafraîchissez-les sous l'eau froide et égouttez-les.

3 Mettez le soja dans le saladier. Ôtez les têtes des crevettes, décortiquez-les et mettez-les dans le saladier. Pelez la carotte, râpez-la et répartissez-la sur la salade.

4 Égouttez les tranches d'ananas, coupez-les en petits morceaux et ajoutez-les à la salade. Avec une grande lame de couteau, concassez les cacahuètes sur une planche.

5 Lavez les feuilles de menthe, essorez-les dans du papier absorbant et ciselez-les. Répartissez les cacahuètes et la menthe dans le saladier. Ne mélangez qu'au moment de servir.

> DIÉTÉTIQUE :
> de 200 à 400 Kcal

> ACCOMPAGNEMENT :
> servez dans des bols avec des baguettes.

Mon astuce
Il n'est pas indispensable de blanchir les germes de soja, qui se consomment également crus. Mais, pour accompagner les crevettes, il vaut mieux éliminer leur croquant.
Vous pouvez remplacer l'ananas par une orange pelée à vif, et la menthe par de la coriandre.

Salade de soja,
crevettes et ananas

Entrées |

Salade d'endives au bleu en vol-au-vent

Une présentation chic et originale pour cette savoureuse salade de saison, avec sa sauce onctueuse, parfumée au bleu.

> **SAISON : toute l'année**
> **COÛT : ●●●**
> **DIFFICULTÉ : ●●●**
> **PRÉPARATION : 15 min**
> **CUISSON : 5 min**

1 Creusez la base des endives et retirez les feuilles abîmées. Rincez-les sous l'eau, égouttez-les et émincez-les. Coupez le fromage en petits cubes.

2 Dans un saladier, mettez les endives et le bleu de Bresse. Ajoutez les cerneaux de noix grossièrement coupés en morceaux.

3 Dans un bol, versez le vinaigre, le sel et le poivre. Mélangez, puis ajoutez l'huile, la crème fraîche liquide et la ciboulette. Versez cette sauce sur la salade et mélangez délicatement.

> **DIÉTÉTIQUE :**
> de 200 à 400 Kcal

> **ACCOMPAGNEMENT :**
> décorez l'assiette avec un filet de crème fraîche liquide et de vinaigre balsamique.

Ma variante
Vous pouvez remplacer la poire par une pomme granny smith, à la chair acidulée ou par une reine de reinette, fruitée et sucrée. Ajoutez une branche de céleri finement hachée pour rehausser les saveurs. Mais aussi quelques câpres, pour le côté acidulé ou, au contraire, quelques doux raisins secs.

4 Préchauffez le four à 160 °C (th. 5-6). Coupez les poires en quartiers, retirez le cœur et les pépins. Coupez-les en petits dés et ajoutez-les à la salade.

5 Au moment de servir, faites chauffer les vol-au-vent sur la grille du four pendant 5 minutes. Garnissez-les généreusement de salade et servez aussitôt.

Salade d'endives
au bleu en vol-au-vent

Terrine
de chèvre frais aux poivrons

L'idéal est de préparer cette terrine la veille pour qu'elle prenne bien et de la servir froide en tranches coupées au dernier moment. Cette terrine colorée, fraîche et moelleuse, est un vrai délice estival.

> SAISON : été
> COÛT : ●●●
> DIFFICULTÉ : ●●●
> PRÉPARATION : 30 min
> CUISSON : 20 min

INGRÉDIENTS pour 4 personnes

- 2 poivrons rouges
- 2 poivrons verts
- 2 poivrons jaunes
- 600 g de chèvre frais
- 7 feuilles de gélatine
- 2 cuil. à soupe de crème fraîche
- 3 cuil. à soupe d'huile d'olive
- 2 cuil. à soupe de ciboulette
- Sel, poivre

1 Pelez les poivrons avec un couteau économe. Coupez-les en quatre et retirez les pépins. Faites-les cuire à la vapeur 20 minutes environ, jusqu'à ce qu'ils soient tendres.

2 Égouttez et épongez les poivrons sur du papier absorbant. Laissez-les refroidir. Dans une assiette creuse, faites tremper 5 feuilles de gélatine dans un peu d'eau tiède.

3 Dans un saladier, écrasez le chèvre frais. Ajoutez la crème fraîche, la ciboulette, l'huile d'olive, et les feuilles de gélatine égouttées. Salez, poivrez et mélangez bien.

4 Tapissez une terrine d'un film de Cellophane. Étalez dans le fond une couche de poivrons des trois couleurs en dessinant des lignes ou un damier. Recouvrez d'une couche de préparation au fromage.

5 Continuez en alternant fromage et poivrons. Faites fondre la gélatine restante et répartissez-la sur la terrine. Couvrez de Cellophane et réservez 4 heures au frais.

> DIÉTÉTIQUE :
> de 200 à 400 Kcal

> ACCOMPAGNEMENT :
> accompagnez d'un coulis de tomate et de salade verte.

Mon astuce
Il est important que la terrine soit bien tassée : pressez légèrement avec le plat de la main et placez un poids dessus. Mettez au réfrigérateur. Présentez les tranches de terrine dans des petites assiettes individuelles avec des tomates cerises, quelques câpres, des herbes fraîches pour décorer et quelques gouttes d'huile d'olive.

Terrine de chèvre
frais aux poivrons

Entrées |

Velouté
de carottes au cumin

Les soupes sont devenues très à la mode, voire même festives grâce à l'ajout d'une touche inattendue. Dans ce velouté, la traditionnelle carotte est relevée d'une pointe de cumin qui lui donne une saveur originale.

> SAISON : hiver
> COÛT : ●●●
> DIFFICULTÉ : ●●●
> PRÉPARATION : 10 min
> CUISSON : 35 min

INGRÉDIENTS pour 4 personnes

- 1 kg de carottes coupées en rondelles surgelées
- 1 pomme de terre moyenne
- 1 oignon
- 3/4 de litre d'eau
- 20 g de beurre
- 1/2 c. à c. de cumin
- Sel de guérande
- 20 cl de crème liquide

1 Épluchez et coupez l'oignon en petits dés. Si vous sentez les larmes venir, mettez vos mains sous l'eau du robinet.

2 Faites fondre le beurre dans une cocotte minute, puis ajoutez l'oignon. Faites alors dorer le tout.

3 Ajoutez, dans la cocotte, les carottes encore surgelées et la pomme de terre préalablement coupée en morceaux. Remuez et faites revenir 5 min.

4 Ajoutez l'eau et le cumin. Remuez pour que l'épice s'intègre bien au liquide. Fermez la cocotte et faites cuire 30 min après la montée en pression.

5 Mixez le tout et ajoutez la crème liquide. Remuez avec une cuillère en bois. Salez. C'est prêt, servez sans attendre !

> DIÉTÉTIQUE : jusqu'à 200 Kcal
> ACCOMPAGNEMENT : servez cette soupe avec des tranches de pain grillé.

Mon astuce
Les soupes sont de plus en plus appréciées dans les buffets. Il suffit de sortir de vos placards des petits verres transparents ou des verres à thé à la menthe colorés. Versez la soupe chaude dans vos verres, à l'aide d'un bec verseur par exemple. Ajoutez une pointe de crème fraîche sur le dessus, une pincée de curry et quelques feuilles de coriandre ciselées.

Velouté
de carottes au cumin

Entrées |

Verrines de betterave et fromage blanc

Duo réussi ! Cette association betterave et fromage blanc, aussi surprenante soit-elle, fonctionne à merveille et est également superbe sur le plan esthétique. À réaliser en un tour de main.

> SAISON : toute l'année
> COÛT : ●●●
> DIFFICULTÉ : ●●●
> PRÉPARATION : 10 min
> CUISSON : aucune

INGRÉDIENTS pour 4 personnes
- 1 betterave cuite
- 500 g de fromage blanc
- 4 branches de céleri avec feuilles
- 10 cl de crème fraîche
- Huile d'olive
- Sel et poivre

1 Épluchez la betterave, coupez-la en gros morceaux et écrasez-la dans un saladier avec une fourchette. Mettez au frais.

2 Mettez le fromage blanc dans une jatte. Ajoutez la crème fraîche et mélangez le tout vivement avec un fouet métallique.

3 Ajoutez une cuillère à soupe d'huile d'olive. Fouettez à nouveau quelques instants. Salez et poivrez.

4 Répartissez le fromage blanc dans des verres hauts. Recouvrez de betterave hachée.

5 Décorez vos verrines en plantant une branche de céleri avec les feuilles dans chacune d'elles. Réservez au réfrigérateur. Servez très frais.

> DIÉTÉTIQUE : jusqu'à 200 Kcal
> ACCOMPAGNEMENT : servez avec des « Gressins », sortes de petites flûtes de pain.

Mon conseil santé
Remplacez le fromage blanc par un allégé à 20 %, voire même à 0 % et prenez de la crème allégée à 8 %. Vous aurez des verrines très « diététiquement correctes », si elles manquent de goût, relevez-les avec une pointe de tabasco.

Verrines
de betterave
et fromage blanc

Entrées |

Verrines de foie gras aux poires caramélisées

Une manière très chic de présenter du foie gras sans en servir en grosse quantité. Le foie gras s'accommode très bien de saveurs sucrées et relevées. Lancez-vous !

> **SAISON** : hiver
> **COÛT** : ●●●
> **DIFFICULTÉ** : ●●●
> **PRÉPARATION** : 15 min
> **CUISSON** : 10 min

INGRÉDIENTS pour 4 personnes
- 50 g de foie gras
- 2 poires
- 30 g de beurre
- 1 cuil. à soupe de sucre roux
- 1 pincée de quatre-épices
- 50 g d'un mélange d'amandes, noisettes et pistaches

1 Épluchez les poires, coupez-les en quartiers, retirez le cœur et les pépins. Détaillez les quartiers en morceaux plus petits.

2 Faites chauffer le beurre dans une poêle. Laissez fondre les poires dans le beurre en remuant sans cesse à l'aide d'une spatule pendant 5 minutes.

3 Saupoudrez les poires de sucre et de quatre-épices et laissez-les caraméliser en remuant régulièrement, pendant 5 minutes environ. Retirez la poêle du feu et laissez refroidir.

> **DIÉTÉTIQUE** :
> de 200 à 400 Kcal
> **ACCOMPAGNEMENT** :
> servez avec des mouillettes de brioche grillées.

Mon astuce
Vous pouvez préparer ces verrines à l'avance et les réserver au réfrigérateur, couvertes d'un film alimentaire.

4 Passez les fruits secs au mixeur pour les réduire en une poudre grossière. Détaillez le foie gras en tranches fines. Versez un peu de poire au fond de chaque verrine.

5 Déposez deux tranches de foie gras, intercalées de morceaux de poire, et complétez avec les poires. Saupoudrez avec la poudre de fruits secs. Servez tiède ou très froid.

Verrines de foie gras
aux poires caramélisées

Entrées |

Verrines
guacamole gaspacho

L'imagination se débride à la vue de ces amuse-bouches, parfaits pour un apéro dînatoire, ou avec des amis, histoire de les épater...

> SAISON : toute l'année
> COÛT : ●●●
> DIFFICULTÉ : ●●●
> PRÉPARATION : 15 min
> CUISSON : 30 min

INGRÉDIENTS pour 4 personnes
- 1 pot de 200 g de guacamole
- 3 tomates bien mûres
- 2 cuillères à soupe d'huile d'olive
- 1/2 citron vert

Pour la marinade :
- 1 cuillère à soupe de coriandre surgelée
- Sel et poivre

1 — Lavez les tomates, retirez leurs pédoncules et coupez-les en petits dés. Si vous voulez absolument les peler, plongez-les entières dans une eau bouillante 20 s, la peau va alors se fendiller.

2 — Dans un saladier, mélangez les dés de tomates, deux cuillères à soupe de jus de citron vert, l'huile d'olive et la coriandre surgelée.

3 — Salez et poivrez. Entreposez au réfrigérateur au minimum 30 min.

4 — Au dernier moment, remplissez les verrines aux 3/4 de guacamole.

5 — Sortez le mélange de tomates du réfrigérateur et couvrez les verrines de guacamole des tomates. Servez bien frais.

> DIÉTÉTIQUE : de 200 à 400 Kcal
> ACCOMPAGNEMENT : à table, proposez quelques gouttes de Tabasco, pour un goût plus relevé.

Ma variante
Composez vos verrines à l'avance et au gré de votre imagination... Guacamole–chair de crabe, guacamole–saumon fumé, guacamole–crevettes, guacamole–surimi, soupe de tomates, tapenade–gaspacho, boules de melon–lamelles de jambon de pays... Jouez sur la couleur et le mélange des saveurs, tous les assemblages sont permis !

Verrines
guacamole gaspacho

Entrées |

Poissons, viandes et volailles

Colin aux poivres en papillotes

Une recette simple, rapide et raffinée. Le mélange des poivres offre une sauce à la crème irisée, aux senteurs mélangées assez relevées... Attention aux palais fragiles !

> SAISON : toute l'année
> COÛT : ●●●
> DIFFICULTÉ : ●●●
> PRÉPARATION : 10 min
> CUISSON : 10 min

INGRÉDIENTS pour 4 personnes

- 4 darnes de colin
- 50 g de beurre
- 1/2 cuil. à soupe de grains de poivre noir
- 1/2 cuil. à soupe de baies roses
- 1/2 cuil. à soupe de poivre vert
- 20 cl de crème fraîche
- 1 citron
- Sel

1 Préchauffez le four à 210 °C (th. 7). Mélangez les trois sortes de poivres et écrasez-les grossièrement.

2 Mettez le beurre mou dans un bol avec le tiers du poivre. À l'aide d'une fourchette, travaillez le beurre en pommade avec le poivre. Découpez 4 carrés dans une feuille de papier d'aluminium.

3 Posez les darnes de colin sur les feuilles et enduisez-les de beurre poivré. Salez. Fermez les papillotes, posez-les sur la plaque de cuisson et faites-les cuire 10 minutes.

4 Pendant ce temps, faites chauffer doucement la crème avec le reste de poivre. Ajoutez le jus de citron et salez. Mélangez et maintenez au chaud.

5 Entrouvrez les papillotes en corolle de manière qu'elles gardent les senteurs et arrosez-les équitablement de sauce au poivre. Servez aussitôt dans les papillotes.

> DIÉTÉTIQUE : de 200 à 400 Kcal
> ACCOMPAGNEMENT : servez avec des épinards ou du riz nature.

Mon astuce
Pour écraser les grains de poivre, surtout les noirs qui sont plus durs : mettez-les dans un mortier ou enfermez-les dans un torchon propre et écrasez-les avec un rouleau à pâtisserie.

Colin aux poivres
en papillotes

Colin frit
sauce tartare

Pour changer de l'éternel poisson poché à la sauce au beurre, n'hésitez pas à préparer ce colin frit, réalisé en quelques minutes. Il se marie parfaitement à cette sauce tartare express.

> SAISON : toute l'année
> COÛT : ●●●
> DIFFICULTÉ : ●●●
> PRÉPARATION : 10 min
> CUISSON : 15 min

INGRÉDIENTS pour 4 personnes
- 4 filets de colin
- 2 œufs
- 3 cuil. à soupe de farine
- 2 l d'huile de friture
- Sel, poivre

Pour la sauce tartare :
- 1 petit pot de mayonnaise
- 2 cuil. à soupe d'herbes surgelées (cerfeuil, ciboulette)
- 3 échalotes
- 1 cuil. à soupe de câpres
- 3 petits cornichons

1 Préparez la sauce : dans un bol, mettez la mayonnaise et ajoutez les herbes. Pelez les échalotes et hachez-les au hachoir électrique avec les câpres et les cornichons.

2 Incorporez délicatement le tout à la mayonnaise, remuez et rectifiez l'assaisonnement avant de réserver au frais.

3 Faites chauffer l'huile de friture. Pendant qu'elle chauffe, lavez les filets de colin à l'eau claire et essuyez-les soigneusement avec du papier absorbant.

4 Battez les œufs et versez-les dans une assiette creuse. Saupoudrez une autre assiette de farine. Passez chacune des faces des filets de colin dans les deux assiettes.

5 Mettez le colin dans la friture et laissez-le cuire 10 minutes. Égouttez-le soigneusement, salez et poivrez et servez aussitôt avec la sauce tartare.

> DIÉTÉTIQUE :
> de 200 à 400 Kcal

> ACCOMPAGNEMENT :
> servez avec du riz à la sauce tomate.

Mon astuce
La sauce tartare n'est finalement qu'une mayonnaise améliorée avec des câpres, des cornichons et quelques herbes. Comme elle est plus relevée, elle est parfaite avec des poissons frits ou des viandes froides. Étalée sur des tartines avec des tranches de rosbif ou des lamelles de poulet, elle est parfaite pour un en-cas sur le pouce.

Colin frit
sauce tartare

Papillotes de cabillaud aux petits légumes

Les plats préparés surgelés sont bien pratiques, mais on les apprécie encore plus lorsque, une fois assemblés, ils donnent des recettes dignes des grands restaurants...

> SAISON : toute l'année
> COÛT : ●●●
> DIFFICULTÉ : ●●●
> PRÉPARATION : 10 min
> CUISSON : 20 min

INGRÉDIENTS pour 4 personnes

- 4 filets de cabillaud surgelés
- 1 sachet de julienne de légumes surgelés
- Ail surgelé
- Persil surgelé
- Échalote surgelée
- 1 citron
- Huile d'olive
- Sel et poivre

1 Disposez devant vous un rouleau de papier aluminium. À l'aide d'une paire de ciseaux, découpez 4 grandes feuilles de même taille.

2 Déposez au centre de chacune d'elles un filet de poisson puis versez dessus un filet d'huile d'olive.

3 Salez et poivrez, parsemez d'ail, d'échalote et de persil. Surmontez l'ensemble d'une rondelle de citron.

4 Vous n'avez pas besoin de décongeler la julienne de légumes. Répartissez-la directement sur les filets de poisson.

5 Rabattez les côtés des feuilles d'aluminium puis enfournez les papillotes 20 min à 210°C.

> DIÉTÉTIQUE : jusqu'à 200 Kcal

> ACCOMPAGNEMENT : servez avec un vin blanc sec bien frais.

Ma variante
En plus de l'ail et de l'échalote, toujours les bienvenus, l'idéal est encore de trouver – surgelé aussi – un mélange d'herbes pour poissons. Généralement, ce mélange contient six herbes aromatiques : aneth, romarin, persil, ciboulette, coriandre et thym. Si vous avez des flacons d'une ou plusieurs de ces herbes séchées ou lyophilisées, ils conviendront tout aussi bien.

Papillotes
de cabillaud
aux petits légumes

Poissons, viandes et volailles |

Saumon en papillote à la tapenade

Grâce à la cuisson en papillote, le poisson reste moelleux et les parfums concentrés. Le saumon s'accorde bien à la saveur méridionale de la tapenade. C'est une recette originale et facile à préparer.

> SAISON : toute l'année
> COÛT : ●●●
> DIFFICULTÉ : ●●●
> PRÉPARATION : 10 min
> CUISSON : 10 min

INGRÉDIENTS pour 4 personnes

- 4 pavés de saumon
- 1 oignon violet
- 2 cuil. à soupe de tapenade
- 1 cuil. à soupe de fleur de sel
- 2 cuil. à soupe d'huile d'olive
- 1 cuil. à café de thym
- Du papier d'aluminium

1 Allumez le four à 250 °C (th. 8) et laissez la plaque du four à l'intérieur. Préparez quatre rectangles de papier d'aluminium.

2 Pelez l'oignon et émincez-le finement. Dans un bol, mélangez l'oignon, 1 cuillerée à soupe d'huile d'olive, un peu de gros sel et le thym.

3 Rincez les pavés de saumon et épongez-les bien. À l'aide d'un pinceau ou avec le doigt, badigeonnez les pavés de chaque côté d'huile et saupoudrez-les de fleur de sel sur toutes les faces.

> DIÉTÉTIQUE :
> 400 Kcal et plus

> ACCOMPAGNEMENT :
> servez avec des tagliatelles fraîches ou une purée de pommes de terre à l'huile d'olive.

Mon astuce
Vous pouvez faire cuire le saumon au four à micro-ondes à condition de faire des papillotes avec du papier sulfurisé. Si vous utilisez du saumon surgelé, faites-le décongeler avant de préparer les papillotes. Puis faites-le cuire de 6 à 8 minutes au four à micro-ondes.

4 Disposez chaque pavé sur une feuille d'aluminium. Tartinez la partie supérieure des pavés avec la tapenade. Puis parsemez-les de la préparation avec l'oignon et le thym.

5 Refermez les feuilles d'aluminium en papillotes. Posez-les directement sur la plaque chaude du four. Laissez-les cuire de 8 à 10 minutes. Servez dès la sortie du four.

Saumon
en papillote
à la tapenade

Tajine de lieu aux citrons confits

Voici un plat inattendu et savoureux. On connaît peu les tajines de poisson, qui offrent une cuisson douce et donnent un poisson moelleux. Les citrons confits apportent beaucoup de fraîcheur et de caractère.

> SAISON : toute l'année
> COÛT : ●●●
> DIFFICULTÉ : ●●●
> PRÉPARATION : 10 min
> CUISSON : 20 min

INGRÉDIENTS pour 4 personnes
- 600 g de filet de lieu
- 2 oignons • 1 gousse d'ail
- 2 citrons confits
- 1 cuil. à café de cumin
- 1 cube de fumet de poisson
- 50 g d'olives vertes dénoyautées
- 2 cuil. à soupe d'huile d'olive
- Poivre, quelques brins de coriandre ciselée

1 Coupez les citrons confits en lamelles. Rincez les filets de poisson et épongez-les. Coupez des parts en rectangles de 10 cm de long sur 4 cm de large.

2 Pelez les oignons et émincez-les. Faites chauffer l'huile dans une sauteuse à revêtement anti-adhésif. Faites-y dorer les oignons avec le cumin.

3 Pelez la gousse d'ail et coupez-la en deux, retirez le germe. Ajoutez les morceaux de poisson, les citrons confits, l'ail et le poivre.

4 Arrosez de 20 cl d'eau chaude dans laquelle vous aurez émietté le cube de fumet. Couvrez et laissez cuire de 10 à 15 minutes en remuant de temps en temps pour que la préparation n'attache pas.

5 Versez la préparation dans un plat de service, ajoutez les olives et parsemez de feuilles de coriandre. Servez bien chaud.

> DIÉTÉTIQUE :
> de 200 à 400 Kcal

> ACCOMPAGNEMENT :
> servez avec du riz nature ou de la semoule agrémentée d'amandes effilées.

Ma variante
Vous pouvez utiliser d'autres poissons qui tiennent bien à la cuisson comme des queues de lotte, des ailes de raie ou des filets de rascasse. Vous pouvez utiliser des graines de coriandre (à ajouter à la cuisson) ou du persil.

Tajine de lieu
aux citrons confits

Tartiflette
au saumon

Voici une façon originale d'accommoder le saumon : du fromage blanc et des pommes de terre, pour une tartiflette réalisée en un temps record. À réserver pour une grande occasion.

> SAISON : toute l'année
> COÛT : ●●●
> DIFFICULTÉ : ●●●
> PRÉPARATION : 10 min
> CUISSON : 15 min

INGRÉDIENTS pour 4 personnes

- 2 boîtes de pommes de terre en conserve
- 4 tranches de saumon fumé
- 250 g de fromage blanc
- 1 petit verre de vin blanc
- 4 cuil. à soupe de crème fraîche
- ciboulette surgelée
- 20 g de beurre
- Sel, poivre

1 Nappez le fond d'un plat à gratin avec un peu de beurre. Mélangez le fromage blanc à la ciboulette.

2 Étalez dans le plat une première couche de pommes de terre préalablement coupées en fines lamelles, suivie d'une couche de saumon.

3 Recouvrez d'une couche de crème et de fromage blanc à la ciboulette. Renouvelez l'opération jusqu'à ce qu'il n'y ait plus d'ingrédients.

4 Veillez à terminer par une couche de fromage. Nappez le dessus du plat avec le petit verre de vin blanc.

5 Faites cuire au four à 180 °C (th. 7) entre 10 et 15 minutes. Servez aussitôt.

> DIÉTÉTIQUE :
> de 200 à 400 Kcal
> ACCOMPAGNEMENT :
> servez avec des blinis chauds.

Mon astuce
Pour une présentation plus raffinée, utilisez des petits ramequins que vous remplirez chacun d'une tranche de saumon garnie du mélange.

Tartiflette
au saumon

Bœuf au citron vert et à la citronnelle

Un peu d'exotisme dans nos assiettes... Le goût du bœuf se marie parfaitement à la saveur douce et acidulée de la citronnelle, ingrédient traditionnel de la cuisine asiatique.

> SAISON : toute l'année
> COÛT : ●●●
> DIFFICULTÉ : ●●●
> PRÉPARATION : 20 min
> CUISSON : 30 min

INGRÉDIENTS pour 4 personnes
- 500 g de filet de bœuf
- 2 cuil. à soupe d'huile d'olive
- 15 g de racine de gingembre
- 1 citron vert • 20 g de beurre
- 1 gousse d'ail
- 10 cl de sauce soja
- 2 cuil. à soupe de sucre roux
- 1 branche de citronnelle
- 1 gros pied de blettes
- Sel, poivre

1 Préchauffez le four à 180 °C (th. 6). Ficelez le rôti de bœuf. Dans une sauteuse, faites chauffer 1 cuillerée d'huile d'olive. Faites dorer la viande sur toutes ses faces.

2 Rincez les blettes. Séparez le vert du blanc et coupez-les en tronçons d'environ 10 cm. Faites-les cuire dans un faitout à la vapeur une quinzaine de minutes.

3 Épluchez et hachez la partie blanche de la citronnelle. Épluchez et émincez très finement le gingembre et l'ail. Mettez la viande, avec le beurre, dans un plat allant au four et enfournez 15 minutes.

> DIÉTÉTIQUE :
> de 200 à 400 Kcal

> ACCOMPAGNEMENT :
> servez avec un vin rouge corsé.

4 Versez 1 cuillerée d'huile dans la sauteuse et faites sauter l'ail, le gingembre et la citronnelle. Ajoutez la sauce soja, le jus du citron, le sucre et laissez chauffer 1 minute. Réservez.

5 Sortez le rôti du four et coupez-le en tranches le plus fines possible. Disposez à l'assiette, nappez de sauce et accompagnez des blettes. Salez et poivrez.

Mon marché
La cuisine asiatique est très friande de citronnelle : on utilise la base des tiges fraîches après avoir retiré les feuilles externes pour ne conserver que le centre. C'est le condiment idéal pour aromatiser les plats de viandes, de légumes, les currys et les potages.

Bœuf
au citron vert
et à la citronnelle

Poissons, viandes et volailles |

Brochettes de bœuf au fenouil et à la tomate

Les brochettes sont toujours plus moelleuses lorsqu'elles sont marinées. La sauce tomate pimentée et le fenouil qui accompagnent la viande leur donnent un accent méditerranéen original et goûteux.

> SAISON : printemps-été

> COÛT : ●●●

> DIFFICULTÉ : ●●●

> PRÉPARATION : 15 min

> MARINADE : 30 min

> CUISSON : 10 min

INGRÉDIENTS pour 4 personnes

- 600 g de rumsteck
- 2 fenouils • 16 tomates cerises
- 2 gousses d'ail
- 250 g de purée de tomates
- 2 cuil. à soupe de gin
- 2 cuil. à soupe de sucre
- 1 piment oiseau
- 1 cuil. à soupe d'origan séché
- Huile • Sel, poivre
- Brochettes

1 Épluchez les bulbes de fenouil en détachant les feuilles et lavez-les. Coupez les grosses feuilles en carrés. Rincez les tomates cerises.

2 Pelez et hachez l'ail. Dans un saladier, versez la purée de tomates avec l'ail, l'origan, le sucre, le piment émietté, le gin, 4 cuillerées à soupe d'huile d'olive, du sel et du poivre. Mélangez.

3 Coupez la viande en cubes de 3 cm de côté. Mettez les morceaux de viande dans le saladier et mélangez-les à la sauce. Laissez mariner environ 30 minutes.

> DIÉTÉTIQUE :
de 200 à 400 Kcal

> ACCOMPAGNEMENT :
servez avec une salade composée ou des country potatoes.

Mon astuce
Récupérez les morceaux de fenouil et le cœur du bulbe pour en faire une salade. Hachez le fenouil qui reste et mélangez-le avec un pamplemousse rose épluché à vif et coupé en morceaux. La saveur douce et anisée du fenouil s'accorde à merveille avec le goût acidulé du pamplemousse.

4 Dressez les brochettes en alternant des carrés de fenouil, 1 tomate cerise et 1 morceau de viande. Comptez 2 brochettes par personne.

5 Faites cuire les brochettes pendant 10 minutes en les retournant en cours de cuisson. Faites chauffer 5 minutes le reste de sauce et versez-la dans un bol. Servez-la avec les brochettes.

Brochettes
de bœuf au fenouil
et à la tomate

Côtelettes d'agneau panées au romarin

Voici un plat chic et délicieux. La saveur relevée et amère du romarin se marie parfaitement à la viande d'agneau. Cette préparation simple et originale est digne des meilleures tables.

> SAISON : toute l'année
> COÛT : ●●●
> DIFFICULTÉ : ●●●
> PRÉPARATION : 10 min
> CUISSON : 25 min

INGRÉDIENTS pour 4 personnes

- 8-12 côtelettes d'agneau
- 2 branches de romarin
- 4 cuil. à soupe de chapelure
- 3 cuil. à soupe d'huile d'olive
- 3 cuil. à soupe de moutarde de Dijon
- Fleur de sel, poivre

1 Préchauffez le four à 210 °C (th. 7). Avec un couteau, retirez l'excès de gras des côtelettes pour ne laisser que la noix avec l'os. Salez et poivrez.

2 Huilez légèrement un plat allant au four avec 1 cuillerée à soupe d'huile. Déposez-y les côtelettes. Faites-les dorer 15 minutes en les retournant pour leur faire prendre couleur de chaque côté.

3 Détachez les feuilles de romarin et hachez-les à l'aide d'un petit robot ou d'un grand couteau. Dans une assiette, mélangez le romarin haché et la chapelure.

4 Sortez le plat du four et laissez refroidir un peu les côtelettes. Badigeonnez-les de moutarde sur toutes leurs faces à l'aide d'un couteau.

5 Passez les côtelettes dans le mélange de chapelure pour les paner. Huilez à nouveau le plat et déposez-y les côtelettes. Passez-les sous le gril 5 minutes environ de chaque côté. Servez aussitôt.

> DIÉTÉTIQUE :
> de 200 à 400 Kcal

> ACCOMPAGNEMENT :
> servez avec une ratatouille ou des haricots verts frais.

Mon conseil santé
La viande panée peut paraître lourde et indigeste, mais la présence du romarin allège la chapelure et favorise la digestion. Par ailleurs, les côtelettes d'agneau dégraissées offrent une viande peu calorique du meilleur choix.

Côtelettes
d'agneau panées
au romarin

Côtes d'agneau
à la crème d'ail

La marinade à base d'huile d'olive épicée, puis la crème d'ail exaltent parfaitement les saveurs de la viande d'agneau. Un mets qui séduira tous les gourmets.

> SAISON : toute l'année
> COÛT : ●●●
> DIFFICULTÉ : ●●●
> PRÉPARATION : 20 min
> CUISSON : 25 min

INGRÉDIENTS pour 4 personnes

- 8 côtes d'agneau
- 1 cuil. à café d'herbes de Provence
- 1 cuil. à café de quatre-épices
- 2 têtes d'ail
- 20 cl de crème fraîche
- 1 cuil. à soupe d'huile d'olive
- 10 g de beurre
- 250 g de tagliatelles fraîches
- Sel, poivre

1 Mettez les herbes de Provence dans une assiette avec le quatre-épices et l'huile d'olive. Salez et poivrez. Mélangez bien le tout.

2 Enrobez les côtes d'agneau de ce mélange en prenant soin d'appuyer pour que les épices adhèrent bien à la viande.

3 Épluchez les gousses d'ail. Faites bouillir une casserole d'eau, plongez-y les gousses et laissez-les frémir 15 minutes.

4 Égouttez les gousses d'ail et mixez-les avec la crème dans un robot mixeur. Réservez-les. Faites chauffer une grande casserole d'eau salée et faites cuire les pâtes.

5 Dans une grande poêle, faites fondre le beurre et faites cuire les côtes 10 minutes en les retournant à mi-cuisson. Servez avec la sauce et les pâtes fraîches.

> DIÉTÉTIQUE : de 200 à 400 Kcal
> ACCOMPAGNEMENT : proposez de la moutarde à l'ancienne.

Mon astuce
Vous pouvez faire griller les côtes au barbecue ou sous le gril du four une dizaine de minutes. Vous pouvez remplacer les côtes par des tranches de gigot ou réaliser des brochettes d'agneau avec des cubes d'épaule.

Côtes d'agneau
à la crème d'ail

Poissons, viandes et volailles |

Filet mignon de porc
rôti aux figues

Une recette savamment parfumée de lard, de miel, de romarin, et qui a belle allure !

> SAISON : été-automne
> COÛT : ●●○
> DIFFICULTÉ : ●○○
> PRÉPARATION : 10 min
> CUISSON : 40 min

INGRÉDIENTS pour 4 personnes
- 2 filets mignons
- 400 g de figues fraîches
- 8 fines tranches de lard fumé
- 2 cuil. à café de moutarde
- 2 cuil. à soupe de miel liquide
- 15 cl de vin blanc
- 1 branche de romarin
- Sel, poivre

1 Préchauffez le four à 180 °C (th. 6). Posez les filets mignons sur une planche et badigeonnez-les d'une fine couche de moutarde.

2 Déroulez 4 tranches de lard côte à côte et posez le filet mignon par-dessus. Repliez-les de manière à le recouvrir et maintenez-les par des bâtonnets. Procédez de même avec l'autre filet.

3 Mettez les filets mignons bardés dans un plat assez grand. Coupez les figues en deux ou ouvrez-les en croix, selon leur taille, et disposez-les autour de la viande.

4 Placez le romarin entre les deux filets. Salez et poivrez. Faites couler le miel sur les figues et arrosez de vin blanc.

5 Enfournez et laissez cuire de 35 à 40 minutes. Arrosez la viande avec le jus au cours de la cuisson pour qu'elle reste moelleuse. Servez aussitôt.

> DIÉTÉTIQUE :
> de 200 à 400 Kcal

> ACCOMPAGNEMENT :
> servez avec de la semoule ou du riz nature.

Mon astuce
Recouvrez le plat de papier d'aluminium pour éviter que le lard ne brûle.

Mon marché
Choisissez des figues mûres, mais assez fermes. Hors saison, vous pouvez utiliser des figues surgelées, qu'il n'est pas nécessaire de faire décongeler. Vous trouverez de fines tranches de lard prédécoupées vendues sous vide.

Filet mignon
de porc rôti
aux figues

Grillades marinées aux épices sèches

Les herbes sèches et les épices douces se marient très bien, simplement mélangées à de l'huile d'olive. La viande sera moelleuse et sans excès de graisse.

> SAISON : été
> COÛT : ●●●
> DIFFICULTÉ : ●●●
> PRÉPARATION : 10 min
> MARINADE : 10 min
> CUISSON : 15 min

INGRÉDIENTS pour 4 personnes
- 600 g de filet de porc
- 1 courgette
- 2 tranches épaisses de lard
- 1 oignon • 2 gousses d'ail
- 1 cuil. à soupe de paprika doux
- 1 cuil. à soupe de cumin
- 1 cuil. à soupe d'origan
- 1 cuil. à soupe de thym
- 1 feuille de laurier
- 4 cuil. à soupe d'huile
- Sel et poivre
- 8 brochettes

1 Pelez les gousses d'ail, déger-mez-les et écrasez-les au presse-ail. Pelez l'oignon, coupez-le en quatre, réservez les grosses tranches et hachez finement les autres.

2 Dans un plat creux, versez l'huile, l'oignon haché, l'ail écrasé, le paprika, le cumin, l'origan, le thym, émiettez la feuille de laurier et donnez quatre tours de moulin à poivre.

3 Lavez la courgette, retirez les extrémités, coupez-la en quatre dans la longueur, puis en rondelles de manière à obtenir des cubes. Coupez les tranches de lard en carrés.

4 Taillez la viande en cubes de 3 cm de côté. Mettez-la dans le plat avec les tranches d'oignon et les courgettes et mélangez pour les imprégner de marinade. Laissez reposer 10 minutes.

5 Préparez les brochettes en alternant la viande, le lard, un morceau de courgette et d'oignon. Faites-les cuire sur le gril ou au barbecue 15 minutes environ en les retournant régulièrement.

> DIÉTÉTIQUE :
  de 200 à 400 Kcal
> ACCOMPAGNEMENT :
  servez avec une ratatouille
  ou un taboulé.

Mon astuce
La viande grillée ou marinée ne doit être salée qu'au dernier moment, sinon elle perd son jus et se dessè-che. Égouttez la viande qui a mariné avant de la faire cuire, car l'excès de graisse ou de jus qui dégouline sur les braises provoque des flammes ou de la fumée. Si vous utilisez des brochettes en bois, faites-les tremper dans l'eau pour éviter qu'elles ne brûlent.

Grillades marinées
aux épices sèches

Poissons, viandes et volailles |

Steaks hachés au roquefort

Voici une sauce simple et rapide à exécuter qui fera de vous un cordon-bleu aux yeux des amateurs de viande fraîche et de fromage fort. Il suffit parfois de peu pour impressionner !

> SAISON : toute l'année
> COÛT : ●●●
> DIFFICULTÉ : ●●●
> PRÉPARATION : 10 min
> CUISSON : 10 min

INGRÉDIENTS pour 4 personnes
- 4 gros steaks hachés
- 200 g de roquefort
- 20 cl de crème fraîche
- 5 cl de calvados
- 2 cuil. à soupe d'huile
- 30 g de beurre
- Sel, poivre

1 Sortez la viande du réfrigérateur 30 minutes avant la cuisson (ou faites-la décongeler). Dans une grande poêle, faites chauffer le beurre et l'huile.

2 Lorsque la matière grasse commence à crépiter, déposez les steaks dans la poêle. Faites-les saisir de 2 à 4 minutes, selon la cuisson désirée, et retournez-les.

3 Réduisez le feu, salez, poivrez et poursuivez la cuisson. Dans une petite casserole, émiettez le fromage et versez la crème. Laissez fondre à feu doux en remuant avec une cuillère en bois.

4 Lorsque la viande est cuite, réservez-la dans un plat chaud couvert d'une feuille d'aluminium. Jetez l'excédent de graisse. Déglacez la poêle avec le calvados en grattant les sucs de cuisson.

5 Ajoutez la préparation au fromage dans la poêle et laissez réduire à feu doux en remuant de temps en temps. Versez cette sauce au roquefort sur les steaks et servez aussitôt.

> DIÉTÉTIQUE :
> 400 Kcal et plus

> ACCOMPAGNEMENT :
> servez avec des pâtes fraîches ou des pommes de terre vapeur.

Mon marché
Le steak est plus ou moins cher selon sa qualité et sa provenance. Le filet de bœuf argentin ou écossais est tendre et très goûteux, mais onéreux. Faites hacher la viande par votre boucher, si possible le jour même. Vous pouvez réaliser cette recette avec des steaks surgelés, décongelés avant cuisson.

Steaks hachés
au roquefort

Poissons, viandes et volailles |

Tournedos en croûte persillée

Un bon steak sera toujours apprécié des convives. Apportez une petite touche d'originalité en le couvrant d'un hachis d'herbes et de chapelure.

> SAISON : toute l'année
> COÛT : ●●●
> DIFFICULTÉ : ●●●
> PRÉPARATION : 20 min
> CUISSON : 20 min

INGRÉDIENTS pour 4 personnes

- 4 tournedos
- 4 cuil. à soupe de chapelure
- 2 cuil. à soupe de moutarde forte
- 4 belles tomates
- 2 gousses d'ail
- 1/2 botte de persil
- 2 cuil. à soupe d'huile d'olive
- 30 g de beurre
- Sel, poivre

1 Épluchez et émincez l'ail. Lavez, essorez soigneusement le persil, puis ciselez-le. Mixez dans un hachoir le persil avec la chapelure. Salez et poivrez.

2 Étalez le hachis sur une assiette. Lavez les tomates, essuyez-les, coupez-les en deux dans la largeur. Dans une sauteuse, faites chauffer l'huile d'olive.

3 Posez les tomates côté chair vers le fond de la sauteuse. Laissez-les cuire quelques minutes. Retournez-les. Saupoudrez d'ail et de persil, salez et poivrez. Couvrez et laissez cuire 20 minutes.

> DIÉTÉTIQUE : de 200 à 400 Kcal
> ACCOMPAGNEMENT : servez avec une moutarde à l'ancienne.

Mon marché
Le tournedos, une pièce de bœuf prise dans le filet, est composé d'un médaillon de viande le plus souvent ceinturé de barde. Il pèse entre 150 et 190 g. Vous pouvez opter pour des pavés taillés dans le filet si vous ne trouvez pas de tournedos, ou tailler de belles tranches dans un rôti.

4 Préchauffez le four à 210 °C (th. 7). Faites fondre le beurre dans une poêle et faites cuire les steaks 2 minutes de chaque côté. Tartinez-les de moutarde et roulez-les dans la chapelure.

5 Mettez-les dans un plat allant au four et comptez 3 minutes pour les réchauffer. Servez à l'assiette avec les tomates poêlées.

Tournedos
en croûte persillée

Brochettes de canard aux pruneaux

Des ingrédients sucrés pour accompagner ces aiguillettes et ces magrets fumés. Une façon toute sucrée-salée d'appréhender le sud-ouest de la France.

> SAISON : été
> COÛT : ●●●
> DIFFICULTÉ : ●●●
> PRÉPARATION : 10 min
> CUISSON : 10 min

INGRÉDIENTS pour 4 personnes
- 8 aiguillettes de canard
- 8 tranches de magret fumé séché
- 2 cuil. à soupe de vinaigre de Xérès
- 12 pruneaux
- 4 cuil. à soupe de miel liquide
- 2 cuil. à soupe de graines de sésame (facultatif)
- Sel, poivre • Brochettes

1 Coupez les aiguillettes en deux dans le sens de la longueur. Dénoyautez les pruneaux, puis coupez-les en deux.

2 Roulez les aiguillettes et les magrets autour d'un demi-pruneau. Composez les brochettes en alternant magrets et aiguillettes.

3 Dans une assiette creuse, mélangez le miel liquide, le vinaigre, le sel, le poivre et les graines de sésame. Roulez les brochettes en prenant soin que chaque face soit bien imbibée de marinade.

> DIÉTÉTIQUE :
> de 200 à 400 Kcal

> ACCOMPAGNEMENT :
> servez avec des pommes de terre sautées persillées à l'ail.

4 Faites griller les brochettes 5 minutes de chaque côté sur le barbecue ou dans un plat sous le gril du four.

5 Pendant les 10 minutes de cuisson, retournez les brochettes en les badigeonnant régulièrement de marinade.

Mon marché
Pensez à avoir toujours dans votre réfrigérateur des magrets de canard fumés séchés et prétranchés (sous vide, ils se conservent au moins un mois dans le réfrigérateur). Ils sont parfaits pour un dîner improvisé qui sort de l'ordinaire : en accompagnement d'une salade verte agrémentée d'une sauce vinaigrette à l'huile de noix, ou dans un cake ou des muffins salés.

Brochettes
de canard
aux pruneaux

Poissons, viandes et volailles |

Club sandwich au poulet

Ce traditionnel sandwich anglais est l'équivalent du hamburger américain.
C'est un classique du genre, épais, consistant mais relativement diététique.

> SAISON : toute l'année

> COÛT : ●●●

> DIFFICULTÉ : ●●●

> PRÉPARATION : 15 min

> CUISSON : 10 min

INGRÉDIENTS pour 4 personnes

- 12 grands toasts
- 4 blancs de poulet
- 4 œufs
- 8 tranches de bacon
- 4 tomates
- 8 feuilles de laitue
- 1 cuil. à soupe d'huile d'olive
- 1 pot de mayonnaise
- Moutarde
- Sel, poivre

1 Dans une casserole d'eau froide, faites cuire les œufs 10 minutes. Dans une poêle, mettez l'huile à chauffer et faites cuire les blancs de poulet.

2 Rafraîchissez les œufs sous l'eau froide. Salez et poivrez les blancs de poulet. Laissez-les refroidir. Pendant ce temps, dans la poêle, faites griller les tranches de bacon.

3 Écalez les œufs et coupez-les en rondelles. Lavez les tomates et coupez-les en rondelles. Coupez les blancs de poulet en deux dans le sens de l'épaisseur. Lavez et séchez les feuilles de salade.

4 Faites griller les toasts. Laissez-les refroidir. Tartinez un premier toast de mayonnaise. Déposez 1 feuille de laitue, puis 3 rondelles de tomate, 1 morceau de poulet et 2 rondelles d'œuf.

5 Tartinez un toast de moutarde de chaque côté et mettez-le sur la préparation. Renouvelez la superposition des ingrédients et terminez par un toast tartiné de mayonnaise.

> DIÉTÉTIQUE :
> de 200 à 400 Kcal

> ACCOMPAGNEMENT :
> une salade verte,
> un assortiment de crudités.

Mon astuce
Piquez le club sandwich avec un pique-olive en bois pour qu'il ne s'évente pas et présentez-le sur une petite assiette. Pour un buffet, vous pouvez préparer des mini-clubs sandwichs, c'est-à-dire réduits de moitié en épaisseur (deux tranches de toast) et coupés en croix en quatre morceaux.

Club sandwich
au poulet

Parmentier
de canard

Le confit de canard est un pur délice. Pour un dîner fin, présentez-le de façon exceptionnelle en parmentier individuel.

> SAISON : toute l'année

> COÛT : ●●○

> DIFFICULTÉ : ●●○

> PRÉPARATION : 20 min

> CUISSON : 30 min

INGRÉDIENTS pour 4 personnes

- 3 cuisses de canard confites
- 5 pommes de terre
- 8 échalotes
- 30 g de beurre
- 15 cl de lait
- 1 cuil. à soupe de sucre
- 2 cuil. à soupe de vinaigre balsamique
- Sel, poivre

1 Pelez les pommes de terre et faites-les cuire 20 minutes dans une grande casserole d'eau bouillante salée.

2 Épluchez les échalotes et coupez-les en deux. Faites-les revenir dans la moitié du beurre avec le sucre et le vinaigre balsamique. Laissez mijoter une dizaine de minutes en remuant régulièrement.

3 Écrasez les pommes de terre au presse-purée et ajoutez-leur le reste du beurre et le lait. Salez et poivrez.

4 Retirez la peau des cuisses de canard et émincez la chair. Faites-la revenir quelques minutes dans une poêle avec les échalotes confites.

5 Présentez à l'assiette : dans un cercle, versez une couche de purée, puis une couche de confit. Tassez et retirez le cercle.

> DIÉTÉTIQUE :
> 400 Kcal et plus

> ACCOMPAGNEMENT :
> servez avec une scarole bien croquante.

Mon astuce
Pour alléger le confit, qui est plutôt gras, faites une purée sans beurre ni lait. Au besoin, allongez-la d'un peu d'eau de cuisson des pommes de terre. Pour une saveur très raffinée, ajoutez un filet d'huile de truffe dans la purée et quelques pistaches concassées sur le dessus du parmentier.

Parmentier
de canard

Poissons, viandes et volailles |

Poulet
au cidre

Cette recette d'inspiration normande est succulente avec sa sauce à la crème et aux pommes. C'est un plat traditionnel inratable dont on vous reparlera.

> SAISON : automne-hiver

> COÛT : ●●●

> DIFFICULTÉ : ●●●

> PRÉPARATION : 20 min

> CUISSON : 20 min

INGRÉDIENTS pour 4 personnes

- 4 filets de poulet
- 50 cl de cidre
- 2 échalotes
- 1 cuil. à café de thym
- 4 cuil. à soupe de crème fraîche
- 6 pommes reinettes
- 1 cuil. à soupe d'huile
- 1 noix de beurre + 50 g
- 1 cuil. à soupe de sucre
- sel, poivre

1 Coupez les filets de poulet en gros morceaux et saupoudrez-les de thym, de sel et de poivre. Dans une cocotte, faites chauffer l'huile et le beurre.

2 Faites dorer les morceaux de poulet en remuant. Pelez les échalotes et hachez-les. Avec une écumoire, retirez les morceaux de poulet et réservez-les.

3 Faites fondre les échalotes 3 minutes en remuant. Ajoutez le cidre et grattez les sucs de cuisson à la spatule. Remettez le poulet dans la cocotte, couvrez et laissez cuire 10 minutes.

> DIÉTÉTIQUE : de 200 à 400 Kcal

> ACCOMPAGNEMENT : servez avec une purée de pommes de terre ou du riz.

Mon astuce
Vous pouvez parfumer la sauce avec 1 cuillerée à soupe de calvados, que vous ajouterez en même temps que la crème. Ajoutez également 100 g de lardons fumés, qui enrichiront la saveur et la sauce.
Vous pouvez faire cette recette avec des cuisses et des pilons de poulet. Dans ce cas, laissez cuire 30 minutes en tout.

4 Pendant ce temps, épluchez les pommes. Coupez-en deux en dés et les autres en quartiers. Ajoutez les dés de pomme et la crème fraîche dans la cocotte. Laissez cuire à feu doux 10 minutes.

5 Dans une poêle, faites fondre 50 g de beurre et faites cuire les quartiers de pommes en les retournant. Saupoudrez-les de sucre pour les caraméliser. Servez le poulet accompagné des pommes.

Poulet
au cidre

Tajine de pintade aux mirabelles

La saveur douce et miellée des mirabelles s'accorde bien avec la pintade. Cuit dans un tajine ou une cocotte, ce plat mijoté avec des épices orientales est un vrai régal.

> SAISON : été-automne
> COÛT : ●●○
> DIFFICULTÉ : ●○○
> PRÉPARATION : 15 min
> CUISSON : 40 min

INGRÉDIENTS pour 4 personnes
- 4 cuisses de pintade
- 500 g de mirabelles surgelées
- 2 oignons • 2 gousses d'ail
- 1 dose de safran en poudre
- 1 cuil. à café de cannelle
- 1 cuil. à café de gingembre en poudre
- 100 g d'amandes effilées
- Huile d'olive
- Sel, poivre

1 Pelez les oignons et émincez-les finement. Pelez les gousses d'ail, ouvrez-les et dégermez-les. Saupoudrez d'épices les cuisses de pintade.

2 Dans une cocotte, faites revenir les oignons à feu doux dans 2 cuillerées à soupe d'huile, jusqu'à ce qu'ils soient translucides. Réservez-les.

3 Ajoutez 2 cuillerées à soupe d'huile d'olive dans la cocotte et faites revenir les cuisses de pintade à feu vif pendant 10 minutes en les retournant.

4 Remettez les oignons dans la cocotte, l'ail et 2 verres d'eau. Salez, poivrez, couvrez et laissez mijoter 15 minutes. Ajoutez les mirabelles dénoyautées. Poursuivez la cuisson 15 minutes.

5 Pendant ce temps, faites griller les amandes effilées dans une poêle à revêtement antiadhésif sans matière grasse. Au moment de servir, saupoudrez d'amandes.

> DIÉTÉTIQUE : de 200 à 400 Kcal

> ACCOMPAGNEMENT : servez avec de la semoule ou du boulgour.

Ma variante
Vous pouvez remplacer les épices par 1 cuillerée à café de quatre-épices ou ajouter quelques feuilles de coriandre fraîche, comme cela se fait traditionnellement dans les tajines.

Tajine de pintade
aux mirabelles

Poissons, viandes et volailles |

Tortillas épicées au poulet

Idéales pour un repas pris sur le pouce ou pour un apéritif copieux entre amis, ces galettes d'origine mexicaine sont à farcir de garniture chaude ou froide pour un résultat des plus conviviaux.

> SAISON : toute l'année
> COÛT : ●●○
> DIFFICULTÉ : ●○○
> PRÉPARATION : 10 min
> CUISSON : 10 min

INGRÉDIENTS pour 4 personnes

- 8 tortillas de blé
- 4 blancs de poulet
- 1 fromage à tartiner type saint-moret
- 1 petit pot de guacamole
- 2 cuil. à soupe d'huile d'olive
- 1 cuil. à soupe de cumin, 1 de curry, 1 de paprika
- Piques en bois

1. Préchauffez le four à 210 °C (th. 7). Découpez les blancs de poulet en deux lanières dans le sens de la longueur.

2. Dans un petit bol, délayez les épices dans l'huile d'olive. Remuez bien pour lier les arômes. Enrobez de ce mélange toutes les faces des lanières de poulet.

3. Mettez les lanières de poulet dans un plat allant au four et faites-les cuire une dizaine de minutes en les retournant régulièrement.

4. Pendant ce temps, tartinez chaque tortilla d'une couche de fromage à tartiner et de guacamole. Ajoutez une lanière de poulet sur le bord de chaque tortilla. Roulez la tortilla en la maintenant bien serrée.

5. Coupez les tortillas en morceaux d'environ 3 cm, que vous maintiendrez fermés à l'aide d'une pique en bois. Servez aussitôt.

> DIÉTÉTIQUE : de 200 à 400 Kcal
> ACCOMPAGNEMENT : servez avec une simple salade verte.

Mon astuce
Pour que chaque convive confectionne sa propre tortilla, proposez dans différentes coupelles du cheddar râpé, des haricots rouges cuits (achetés en boîte), de la crème fraîche, du guacamole, du maïs, du poulet et des crevettes. N'oubliez pas de réchauffer quelques instants les galettes au micro-ondes avant de les servir.

Tortillas épicées
au poulet

Poissons, viandes et volailles |

Légumes, pâtes et riz

Courgettes farcies

Issues de la cuisine traditionnelle niçoise, les courgettes farcies représentent un plat complet, fondant et plutôt diététique. Vous apprécierez cette recette facile à faire.

> SAISON : été
> COÛT : ●●●
> DIFFICULTÉ : ●●●
> PRÉPARATION : 15 min
> CUISSON : 40 min

INGRÉDIENTS pour 4 personnes

- 4 courgettes
- 200 g de steak haché
- 100 g de jambon
- 1 gousse d'ail
- 1 oignon
- 4 cuil. à soupe de chapelure
- 1 œuf
- 1 cuil. à café de thym
- Huile d'olive
- Sel, poivre

1 Coupez les courgettes en deux dans le sens de la longueur. À l'aide d'un couteau Économe ou d'une cuillère, creusez l'intérieur.

2 Préchauffez le four à 180 °C (th. 6). Pelez et hachez l'ail et l'oignon. Coupez grossièrement la chair de courgette récupérée.

3 Mixez ou hachez le jambon. Ajoutez (dans le mixer ou dans un saladier) le steak, l'ail et l'oignon hachés ainsi que la chair de courgette et le thym. Mixez à nouveau.

4 Ajoutez l'œuf et 3 cuillerées de chapelure. Salez et poivrez. Mélangez à nouveau le tout. Garnissez les courgettes de cette farce.

5 Faites couler un filet d'huile d'olive sur les courgettes et saupoudrez-les de la chapelure qui reste. Disposez-les directement sur la plaque du four légèrement huilée. Enfournez-les et laissez-les cuire de 30 à 40 minutes.

> DIÉTÉTIQUE :
> de 200 à 400 Kcal

> ACCOMPAGNEMENT :
> servez avec du parmesan et accompagnez de riz nature mélangé à du riz sauvage.

Mon astuce
Pour un buffet ou une réception, vous pouvez couper les courgettes dans le sens de la largeur (en tronçons d'environ 4 cm d'épaisseur) de manière à obtenir des mini-courgettes farcies. Creusez légèrement les tronçons de courgette et suivez la recette.

Courgettes
farcies

Légumes, pâtes et riz |

Croustillant
de chèvre au fenouil

En entrée ou en accompagnement d'une grillade, voici un crumble léger et d'une agréable saveur anisée. La pâte croustillante et le moelleux sont un véritable délice.

> SAISON : toute l'année
> COÛT : ●●●
> DIFFICULTÉ : ●●●
> PRÉPARATION : 20 min
> CUISSON : 35 min

INGRÉDIENTS pour 4 personnes
- 3 bulbes de fenouil
- 200 g de fromage de chèvre frais
- 2 cuil. à soupe d'huile d'olive
- 100 g de farine
- 75 g de chapelure
- 60 g de beurre
- 1 cuil. à soupe de thym séché
- Sel, poivre

1 Préchauffez le four à 210 °C (th. 7). Retirez les feuilles abîmées des fenouils, coupez la base, lavez les bulbes et émincez-les finement.

2 Faites chauffer l'huile d'olive dans une poêle à revêtement antiadhésif et faites revenir les lamelles de fenouil en remuant régulièrement avec une spatule pendant 7 minutes.

3 Salez et poivrez les fenouils et réservez-les. Dans un saladier, mélangez du bout des doigts la farine, la chapelure, le thym et le beurre coupé en morceaux, jusqu'à obtenir une pâte granuleuse.

4 Étalez le fenouil dans le fond d'un plat à gratin. Coupez le chèvre en morceaux et répartissez-le sur toute la surface. Recouvrez le plat de pâte.

5 Enfournez et laissez cuire de 25 à 30 minutes : la pâte doit dorer, mais non brûler. Recouvrez-la d'une feuille de papier d'aluminium si elle se colore trop vite. Servez chaud.

> DIÉTÉTIQUE : de 200 à 400 Kcal

> ACCOMPAGNEMENT : servez avec une viande ou un poisson grillés et une salade de roquette.

Mon astuce
La réussite de la pâte croustillante, ou crumble, tient à son aspect rustique et granuleux. Il est donc important de mélanger grossièrement la pâte du bout des doigts, sans chercher à obtenir un mélange homogène : ce sont les grumeaux qui, à la cuisson, donneront un aspect irrégulier. Pour vous faciliter la tâche, sortez à l'avance le beurre du réfrigérateur afin qu'il ramollisse.

Croustillant
de chèvre au fenouil

Fusillis aux noix et à l'ail

Ces pâtes très simplement préparées sont fortes en goût.
L'ail et les noix du Périgord ne sont pas sans rappeler des produits typiques
du sud-ouest de la France, sans oublier la pointe de piment d'Espelette...

> SAISON : toute l'année
> COÛT : ●●●
> DIFFICULTÉ : ●●●
> PRÉPARATION : 15 min
> CUISSON : 15 min

INGRÉDIENTS pour 4 personnes
- 600 g de fusillis
- 1 tête d'ail
- 100 g de cerneaux de noix
- 4 cuil. à soupe d'huile d'olive
- 2 pincées de piment d'Espelette
- Sel, poivre

1 Séparez les gousses d'ail de la tête, pelez-les, ouvrez-les et dégermez-les.

2 Faites chauffer l'huile dans une petite poêle à feu doux. Ajoutez l'ail et faites-le cuire 10 minutes : il doit jaunir et confire, mais non brûler. Ajoutez le piment et retirez la poêle du feu.

3 Pendant ce temps, faites chauffer une grande casserole d'eau salée. À ébullition, jetez-y les pâtes et faites-les cuire environ 10 minutes jusqu'à ce qu'elles soient *al dente*.

> DIÉTÉTIQUE :
  de 200 à 400 Kcal
> ACCOMPAGNEMENT :
  servez avec une salade
  de roquette et des copeaux
  de parmesan.

Mon astuce
Bien que l'on trouve des noix toute l'année, les noix fraîches du début de l'automne sont croquantes et très parfumées. Retirez la peau qui recouvre les cerneaux, car elle est amère. Pour cela, faites blanchir les cerneaux de noix 1 minute dans l'eau bouillante et rafraîchissez-les.

4 Hachez grossièrement les cerneaux de noix. Égouttez les pâtes et mettez-les dans un plat creux et chaud. Salez et poivrez.

5 Versez le contenu de la poêle sur les pâtes et parsemez de noix hachées. Mélangez bien le tout et servez aussitôt.

Fusillis
aux noix et à l'ail

Gratin de courgettes à la mimolette

Le fondant des courgettes se marie parfaitement à l'onctuosité et à la saveur de la mimolette. Un gratin qui accompagnera parfaitement une viande blanche ou un assortiment de charcuteries.

> SAISON : printemps-été
> COÛT : ●●●
> DIFFICULTÉ : ●●●
> PRÉPARATION : 20 min
> CUISSON : 30 min

INGRÉDIENTS pour 4 personnes

- 200 g de mimolette
- 200 g de fromage blanc en faisselle
- 1 kg de petites courgettes
- 3 cuil. à soupe d'huile d'olive
- 1 pincée de noix de muscade
- Sel, poivre

1 Lavez et essuyez les courgettes. Éliminez les extrémités, puis coupez-les en fines rondelles. Faites-les suer à la poêle dans l'huile d'olive 4 minutes.

2 Une fois que les courgettes sont cuites, égouttez-les sur du papier absorbant. Pendant ce temps, râpez la mimolette avec un mixeur ou une râpe métallique.

3 Préchauffez le four à 210 °C (th. 7). Dans un saladier, versez la moitié de la mimolette râpée avec le fromage blanc égoutté. Ajoutez les courgettes égouttées, elles aussi.

> DIÉTÉTIQUE :
> de 200 à 400 Kcal

> ACCOMPAGNEMENT :
> servez avec un vin rouge plutôt charpenté comme un madiran.

Mon astuce
Les courgettes rendant beaucoup d'eau à la cuisson, n'hésitez pas à bien les presser avant de les intégrer à la préparation.

4 Salez, poivrez, ajoutez la noix de muscade. Remuez le tout délicatement. Beurrez 4 plats à gratin individuels. Répartissez la préparation dans chacun des plats.

5 Recouvrez avec le reste de mimolette et enfournez environ 30 minutes. Les gratins sont cuits dès qu'ils sont bien dorés.

Gratin
de courgettes
à la mimolette

Lasagnes
aux courgettes et au chèvre

Une recette gourmande, mais allégée, de quoi satisfaire la ligne et le palais.

> SAISON : toute l'année
> COÛT : ●●○
> DIFFICULTÉ : ●●○
> PRÉPARATION : 20 min
> CUISSON : 40 min

INGRÉDIENTS pour 4 personnes

- 2 courgettes
- 200 g de chèvre frais
- 2 gousses d'ail
- 25 cl de lait
- 1 cuil. à soupe de Maïzena
- 1 noix de beurre
- 6 plaques de lasagnes
- 30 g de gruyère râpé
- 2 cuil. à café de basilic haché
- Huile • Sel, poivre

1 Lavez les courgettes et coupez-les en rondelles. Faites-les revenir à feu doux 15 minutes à la poêle avec 2 cuillerées à soupe d'huile d'olive.

2 Pelez et écrasez les gousses d'ail, mettez-les dans la poêle avec le basilic en fin de cuisson. Préchauffez le four à 180 °C (th. 6). Faites précuire les lasagnes dans de l'eau bouillante salée 5 minutes.

3 Émiettez le chèvre. Préparez une béchamel légère : dans une casserole, portez le lait à ébullition, ajoutez la Maïzena, remuez sans cesse jusqu'à ce que la sauce épaississe. Salez et poivrez.

> DIÉTÉTIQUE :
> de 200 à 400 Kcal

> ACCOMPAGNEMENT :
> servez avec du jambon de Paris ou des filets de poisson poché.

4 Dans un plat à gratin beurré, alternez sauce béchamel, plaques de lasagnes, courgettes et morceaux de chèvre, et renouvelez l'opération.

5 Terminez par la sauce et parsemez de gruyère. Salez et poivrez. Enfournez et laissez cuire de 20 à 25 minutes. Le gruyère doit être bien gratiné. Servez aussitôt.

Mon astuce
Il vaut toujours mieux précuire les lasagnes : afin que les plaques ne collent pas, ajoutez 1 cuillerée d'huile à l'eau de cuisson. Si besoin, séparez-les pendant la cuisson à l'aide d'une spatule. Égouttez-les séparément sur du papier absorbant. Ne les laissez pas cuire plus de 10 minutes.

Lasagnes
aux courgettes
et au chèvre

Légumes, pâtes et riz |

Lasagnes
aux poivrons et chorizo

Un plat de lasagnes, délicieux et nourrissant, peut sans problème être servi en plat unique. Pour un dîner entre copains ou en famille, vous ferez des heureux !

> SAISON : toute l'année

> COÛT : ●●●

> DIFFICULTÉ : ●●●

> PRÉPARATION : 25 min

> CUISSON : 25 min

INGRÉDIENTS pour 4 personnes

- 6 feuilles de lasagnes
- 2 poivrons verts
- 2 poivrons rouges
- 1 chorizo
- 1 boîte de tomates concassées
- 3 tranches de jambon de pays
- 1 brique de vin blanc
- 2 oignons • 1 gousse d'ail
- 1 pincée de cumin
- 4 cuil. à soupe d'huile d'olive
- 4 cuil. à soupe de pignons
- Sel, poivre

1 — Dans une casserole d'eau bouillante salée, versez 1 cuillerée à soupe d'huile d'olive et faites cuire les lasagnes le temps indiqué. Préchauffez le four à 180 °C (th. 6).

2 — Épluchez et émincez les oignons et l'ail. Taillez les poivrons épépinés en morceaux. Dans une sauteuse, faites chauffer l'huile d'olive avec les oignons, les poivrons, les tomates et l'ail.

3 — Mouillez avec le vin, saupoudrez de cumin et laissez mijoter 15 minutes. Faites dorer les pignons à la poêle. Lorsque les lasagnes sont cuites, posez-les côte à côte sur du papier absorbant.

> DIÉTÉTIQUE : 400 Kcal et plus

> ACCOMPAGNEMENT : servez avec un vin rouge léger.

Mon astuce
Pour gagner du temps, utilisez des lasagnes précuites, vous n'aurez pas à les faire cuire préalablement, et un bocal de ratatouille en guise de légumes.

4 — Retirez la peau du chorizo et coupez-le en rondelles. Détaillez le jambon en lamelles. Au besoin, éliminez l'excès de jus des légumes.

5 — Dans un plat à gratin huilé, alternez des couches de légumes, de lasagnes, de jambon, de chorizo et de pignons. Terminez par des rondelles de chorizo. Enfournez 25 minutes.

Lasagnes
aux poivrons
et chorizo

Légumes, pâtes et riz |

Mille-feuilles de poulet aux abricots

Changez des classiques lasagnes à la bolognaise grâce à cette surprenante version sucrée-salée.

> SAISON : toute l'année
> COÛT : ●●●
> DIFFICULTÉ : ●●●
> PRÉPARATION : 15 min
> CUISSON : 45 min

INGRÉDIENTS pour 4 personnes

- 8 feuilles de lasagnes précuites
- 4 blancs de poulet
- 200 g d'abricots secs
- 50 g d'amandes effilées
- 2 cuil. à soupe de miel
- 1 cube de bouillon de volaille
- 1 oignon
- 1 cuil. à café de cannelle
- Sel, poivre

1 Coupez les abricots en morceaux. Épluchez l'oignon et émincez-le. Coupez le poulet en lamelles. Préchauffez le four à 150 °C (th. 5).

2 Faites fondre le beurre dans une sauteuse et faites revenir l'oignon émincé avec les lamelles de poulet. Faites chauffer 50 cl d'eau et diluez le cube de bouillon. Ajoutez le miel.

3 Mouillez le poulet avec le bouillon, ajoutez les abricots, salez et poivrez, ajoutez la cannelle. Mélangez avec une cuillère en bois et laissez cuire 15 minutes.

4 En fin de cuisson, ajoutez les amandes. Beurrez un moule à gratin. Versez-y un peu de bouillon et tapissez-le de feuilles de lasagnes.

5 Versez un peu du mélange au poulet, couvrez de feuilles de lasagnes, jusqu'à épuisement des ingrédients. Parsemez d'amandes et enfournez 25 minutes. Servez dans le plat.

> DIÉTÉTIQUE :
de 200 à 400 Kcal

> ACCOMPAGNEMENT :
servez avec un vin rouge léger.

Ma variante
Confectionnez une pâte à lasagnes maison, plus savoureuse que celle du commerce : il vous faudra 300 g de farine type 45, 3 œufs et un peu d'eau.

Mille-feuilles
de poulet aux abricots

Légumes, pâtes et riz |

Penne à la roquette, pignons et pancetta

Voici un véritable bouquet de saveurs : l'amertume de la roquette,
le fumé de la pancetta et la douceur des pignons…
Les pâtes sont une source inépuisable d'inspiration.

> SAISON : toute l'année
> COÛT : ●●●
> DIFFICULTÉ : ●●●
> PRÉPARATION : 15 min
> CUISSON : 10 min

INGRÉDIENTS pour 4 personnes
- 400 g de penne
- 200 g de roquette
- 8 tranches de pancetta
- 4 cuil. à soupe d'huile d'olive
- 4 cuil. à soupe de pignons de pin
- Sel, poivre

1 Portez à ébullition une grande casserole d'eau salée. Lavez et essorez la roquette. Coupez la pancetta en fines lamelles.

2 Lorsque l'ébullition est atteinte, jetez les pâtes dans l'eau et laissez-les cuire 10 minutes. Pendant ce temps, faites griller les pignons à sec dans une poêle antiadhésive.

3 Retirez les pignons et réservez-les. Dans la même poêle, faites griller la pancetta jusqu'à ce qu'elle se recroqueville et devienne craquante.

4 Égouttez soigneusement les pâtes et versez-les dans un plat creux, chaud si possible. Ajoutez l'huile et la roquette. Salez, poivrez et mélangez bien le tout.

5 Parsemez sur le dessus du plat les pignons et les lamelles de pancetta. Mélangez l'ensemble des ingrédients et servez immédiatement.

> DIÉTÉTIQUE :
> de 200 à 400 Kcal

> ACCOMPAGNEMENT :
> servez avec du parmesan et une assiette de charcuterie ou de fromages italiens.

Mon astuce
Pour que les pâtes ne collent pas, il est important de saler l'eau de cuisson. Vous pouvez également ajouter dans l'eau 1 cuillerée à soupe d'huile. Mélangez les pâtes avec une spatule dès que vous les versez dans l'eau bouillante, surtout s'il s'agit de pâtes fraîches.

Penne
à la roquette,
pignons et pancetta

Penne crevettes et coco

Vous connaissez le curry avec le riz et le poulet. Pour changer, essayez cette saveur de noix de coco venue d'ailleurs.

> SAISON : toute l'année
> COÛT : ●●●
> DIFFICULTÉ : ●●●
> PRÉPARATION : 15 min
> CUISSON : 15 min

INGRÉDIENTS pour 4 personnes

- 400 g de penne
- 200 g de crevettes cuites
- 1 boîte de lait de coco
- 10 brins de coriandre
- 1 cuil. à soupe de curry
- 1 poignée de noix de cajou concassées (facultatif)
- Sel, poivre

1 Faites chauffer une grande casserole d'eau salée. Portez à ébullition et jetez-y les pâtes. Faites-les cuire al dente.

2 Pendant ce temps, décortiquez les crevettes. Dans une sauteuse, mettez 1 cuillerée de curry. Quand le curry commence à chauffer, versez le lait de coco.

3 Laissez frémir 2 minutes à feu vif, ajoutez les crevettes, mélangez délicatement, retirez du feu et couvrez. Lavez et ciselez les feuilles de coriandre.

4 Égouttez soigneusement les pâtes, versez-les dans la sauteuse. Ajoutez la coriandre ciselée, salez et poivrez.

5 Répartissez les pâtes dans des assiettes creuses, saupoudrez de miettes de noix de cajou et servez aussitôt.

> DIÉTÉTIQUE :
> 400 Kcal et plus

> ACCOMPAGNEMENT :
> servez avec des quartiers de citron vert.

Ma variante
Le curry est un mélange d'épices (curcuma, cumin, cardamone, gingembre...) qui s'accorde parfaitement avec les poissons, le riz et diverses viandes.

Penne crevettes
et coco

Légumes, pâtes et riz |

Penne
pimentées

Comment un plat aussi simple peut-il donner autant de plaisir ?
Les penne *all'arrabbiata*, qui signifie « à l'enragée », voire « à la diable »,
en allusion au piquant du piment, ne laisseront personne indifférent.

> SAISON : toute l'année
> COÛT : ●●●
> DIFFICULTÉ : ●●●
> PRÉPARATION : 20 min
> CUISSON : 30 min

INGRÉDIENTS pour 4 personnes

- 1 grosse boîte de tomates concassées
- 400 g de penne
- 1 botte de persil plat
- 4 cuil. à soupe d'huile d'olive
- 1/4 de cuil. à café de piment en poudre
- 4 gousses d'ail
- Sel

1 Pelez, dégermez et émincez les gousses d'ail. Lavez le persil, essorez-le et ciselez-le dans une tasse.

2 Dans une grande sauteuse qui pourra contenir les pâtes, mélangez à froid l'huile d'olive, l'ail émincé, le piment et 1 pincée de sel. Remuez pour lier les parfums.

3 Faites chauffer 2 ou 3 minutes : l'ail doit dorer mais ne doit surtout pas roussir sous peine de prendre une saveur rance.

4 Ajoutez les tomates concassées, mélangez bien et laissez mijoter à découvert de 15 à 20 minutes. La sauce doit épaissir. Faites bouillir une grande marmite d'eau salée.

5 À ébullition, plongez les pâtes dans l'eau, faites-les cuire al dente. Égouttez-les, puis mettez-les dans la sauteuse avec la sauce tomate 2 minutes. Servez à l'assiette et parsemez de persil.

> DIÉTÉTIQUE :
> de 200 à 400 Kcal

> ACCOMPAGNEMENT :
> servez avec des tranches
> de jambon de pays.

Ma variante
Pour une soirée typiquement italienne, proposez en entrée des antipasti, hors-d'œuvre de légumes marinés dans l'huile, charcuteries diverses et, en dessert, un tiramisu. Une idée de hors-d'œuvre de légumes très courants en Italie : les courgettes grillées au thym, un délice de saveur et de fraîcheur.

Poireaux et carottes confits aux lardons

Le poireau, tout comme la carotte, se laisse délicatement apprivoiser en caramélisant dans un peu de sucre.

> SAISON : automne-hiver
> COÛT : ●●●
> DIFFICULTÉ : ●●●
> PRÉPARATION : 10 min
> CUISSON : 40 min

INGRÉDIENTS pour 4 personnes

- 4 poireaux
- 3 carottes
- 200 g de lardons fumés
- 3 cuil. à soupe de sucre
- 60 g de beurre
- 1 cube de bouillon

1 Épluchez les poireaux, ne conservez que le blanc, lavez-les très délicatement et coupez-les en tronçons de 5 cm de long.

2 Épluchez les carottes et taillez-les en bâtonnets. Faites fondre le beurre dans une sauteuse.

3 Lorsque le beurre mousse, incorporez les carottes et les poireaux et faites-les revenir 5 minutes en remuant. Mouillez d'un verre d'eau, émiettez le cube de bouillon par-dessus.

4 Remuez, saupoudrez de sucre, remuez à nouveau. Couvrez et laissez confire à feu très doux 30 minutes. Surveillez la cuisson : l'eau doit être complètement évaporée et les légumes caramélisés.

5 Faites griller les lardons dans une poêle sans matière grasse. Mettez les légumes dans des bols et parsemez-les de lardons.

> DIÉTÉTIQUE :
  de 200 à 400 Kcal

> ACCOMPAGNEMENT :
  servez avec une viande blanche (veau, dinde, porc).

Mon astuce
Inutile de saler, le cube de bouillon et les lardons sont suffisamment salés.

Poireaux
et carottes confits
aux lardons

Légumes, pâtes et riz |

Pommes de terre farcies aux lardons

Parmi les mille façons d'accommoder la pomme de terre, cette recette figure à la meilleure place des catégories « facilité », « originalité » et « convivialité » !

> SAISON : toute l'année
> COÛT : ●●●
> DIFFICULTÉ : ●●●
> PRÉPARATION : 15 min
> CUISSON : 20 min

INGRÉDIENTS pour 6 personnes
- 6 grosses pommes de terre de taille identique
- 200 g de lardons fumés
- 3 oignons
- 2 briques de crème fraîche liquide (40 cl)

1 Faites cuire les pommes de terre au micro-ondes après les avoir préalablement piquées pour qu'elles n'éclatent pas.
(voir Mon astuce)

2 Coupez-les en 2 et creusez-les jusqu'à 1/2 cm du bord sans abîmer la peau. Réservez-les dans un plat à gratin.

3 Faites cuire les lardons à la poêle puis passez-les au mixer. Pelez et hachez les oignons.

4 Réduisez la chair des pommes de terre en purée. Mélangez-la avec les oignons hachés, les lardons et la crème liquide. Salez et poivrez.

5 Remplissez chaque demi-pomme de terre avec cette farce. Enfournez 20 min à 150°C.

> DIÉTÉTIQUE : de 200 à 400 Kcal
> ACCOMPAGNEMENT : servez avec une salade de mâche pour un repas complet.

Mon astuce
Entre réchauffages et décongélations, on oublie souvent que le micro-ondes sert aussi à cuire certains aliments. Piquez tout d'abord vos tubercules, non pelés, à plusieurs endroits pour les empêcher d'éclater. Positionnez-les en cercle sur votre plaque tournante, protégée par un essuie-tout. Réglez votre four au maximum et commencez par les cuire 10 min. Tournez-les une fois au bout de 5 min pour une meilleure uniformité de cuisson, et vérifiez celle-ci régulièrement.

Pommes de terre
farcies aux lardons

Légumes, pâtes et riz |

Quinoa aux champignons des bois

Appelé aussi « riz des Incas », le quinoa est une céréale nutritive à la saveur délicate de noisette. Elle constitue un accompagnement original et goûteux qui se marie facilement. Avec les champignons, l'accord est exquis.

> SAISON : toute l'année
> COÛT : ●●●
> DIFFICULTÉ : ●●●
> PRÉPARATION : 15 min
> CUISSON : 20 min

INGRÉDIENTS pour 4 personnes

- 250 g de quinoa
- 1 oignon
- 2 gousses d'ail
- 1 bocal de champignons des bois
- 2 cuil. à soupe d'huile
- 1 cube de bouillon de volaille
- Persil
- Sel, poivre

1 Pelez l'ail et l'oignon, dégermez l'ail, puis hachez-les séparément. Émiettez le cube de bouillon de volaille dans un verre d'eau chaude.

2 Faites chauffer 1 cuillerée à soupe d'huile dans une casserole. Faites-y fondre l'oignon à feu doux, puis ajoutez le quinoa. Mélangez pendant 2 minutes.

3 Versez le bouillon de volaille et complétez avec de l'eau de manière à couvrir le quinoa. Portez à ébullition, couvrez et laissez cuire 10 minutes.

4 Pendant ce temps, égouttez les champignons. Faites chauffer 1 cuillerée d'huile dans une poêle. Versez-y les champignons et l'ail. Faites-les sauter 5 minutes. Salez et poivrez.

5 À l'aide d'une écumoire, incorporez les champignons au quinoa ainsi que 1 cuillerée à soupe de persil haché. Mélangez le tout. Versez le quinoa aux champignons dans un plat creux et chaud.

> DIÉTÉTIQUE : de 200 à 400 Kcal

> ACCOMPAGNEMENT : parfait pour accompagner une volaille ou un rôti.

Mon marché
Vous trouverez facilement des mélanges de champignons en bocal ou congelés. Vous pouvez également utiliser des champignons déshydratés et les réhydrater. En saison, achetez des girolles, qui sont chères mais très parfumées. Les champignons frais doivent être nettoyés avec soin : éliminez le pied terreux, grattez les champignons, rincez-les et séchez-les dans du papier absorbant.

Quinoa
aux champignons
des bois

Légumes, pâtes et riz |

Risotto aux asperges et à la tome de brebis

La saveur délicate de l'asperge et la tome de brebis s'accordent à merveille pour donner un risotto raffiné et délicieusement parfumé.

> SAISON : printemps-été
> COÛT : ●●
> DIFFICULTÉ : ●●
> PRÉPARATION : 20 min
> CUISSON : 25 min

INGRÉDIENTS pour 4 personnes

- 350 g de riz
- 1 botte d'asperges
- 4 échalotes
- 1 cube de bouillon de volaille
- 10 cl de vin blanc
- 5 cuil. à soupe d'huile d'olive
- 1/2 piment oiseau séché
- 100 g de tome de brebis
- Sel, poivre

1 Épluchez les asperges et coupez-les en rondelles de 1 centimètre d'épaisseur. Pelez et hachez les échalotes.

2 Dans une sauteuse ou une cocotte, faites chauffer 2 cuillerées à soupe d'huile. Faites blondir les échalotes. Faites chauffer 1 litre d'eau avec le cube de bouillon de volaille.

3 Versez le reste d'huile dans la sauteuse avec les asperges et le riz. Faites cuire en remuant pendant 5 minutes. Salez, poivrez et mouillez de vin blanc en remuant toujours.

4 Lorsque le vin blanc est absorbé, arrosez de bouillon, louche par louche, à fur et à mesure qu'il est absorbé par le riz. Poursuivez la cuisson pendant 20 minutes en remuant sans cesse.

5 Lorsque le bouillon est quasi absorbé, râpez la moitié du fromage sur le risotto et mélangez. Versez le risotto dans un plat, détaillez le reste du fromage en copeaux et saupoudrez de piment.

> DIÉTÉTIQUE : de 200 à 400 Kcal

> ACCOMPAGNEMENT : servez avec une volaille rôtie ou un poisson poché.

Ma variante
Vous pouvez ajouter à cette recette 200 g de champignons émincés ou 4 tomates séchées grossièrement hachées. Les deux se marient bien avec les asperges et ajouteront une touche de couleur.

Risotto
aux asperges
et à la tome de brebis

Risotto basilic et légumes vapeur

Avec ce risotto acheté tout prêt et mélangé à quelques légumes, on n'aura pas, pour une fois, à s'inquiéter de la cuisson du riz, toujours trop cuit ou pas assez dans la recette traditionnelle.

> SAISON : toute l'année

> COÛT : ●●○

> DIFFICULTÉ : ●○○

> PRÉPARATION : 5 min

> CUISSON : 10 min

INGRÉDIENTS pour 4 personnes
- 1 kg de risotto surgelé au jambon et aux fromages
- 300 g d'un mélange de légumes vapeur surgelés
- 1 c. à s. de basilic surgelé
- 1 c. à s. de persil surgelé

1 Faites cuire au micro-ondes les légumes vapeur selon le temps et la puissance indiqués sur le sachet.

2 Pendant ce temps, dans une poêle ou une sauteuse à fond anti-adhésif, versez le contenu du sachet de risotto surgelé.

3 Ajoutez quatre cuillères à soupe d'eau. Faites réchauffer à feu doux pendant 10 min.

4 Une fois cuit, répartissez le risotto dans le plat de présentation. Recouvrez-le de légumes.

5 Parsemez le plat de basilic et de persil surgelés. Le risotto aux petits légumes et aux herbes est prêt ! Servez sans attendre.

> DIÉTÉTIQUE : de 200 à 400 Kcal

> ACCOMPAGNEMENT : on peut le servir seul ou avec une viande rôtie.

Mon astuce
Une cuisson au micro-ondes pour les légumes vapeur surgelés, et express (5 min en moyenne), choisis au gré de vos envies : brocolis, petits pois, choux-fleurs, carottes, courgettes, tomates, ou haricots verts.

Risotto basilic
et légumes vapeur

Légumes, pâtes et riz |

Riz aux raisins secs et pignons

Il est parfois dommage de se contenter d'un riz nature alors qu'il est si simple de l'agrémenter. Cet accompagnement sucré-salé saura mettre en valeur une viande en sauce ou un poisson poché.

> SAISON : toute l'année
> COÛT : ●●●
> DIFFICULTÉ : ●●●
> PRÉPARATION : 10 min
> CUISSON : 15 min

INGRÉDIENTS pour 4 personnes

- 2 verres de riz
- 3 verres d'eau
- 1 oignon
- 30 g de beurre
- 50 g de pignons de pin
- 50 g de raisins secs
- 1/2 citron
- Sel

1 Rincez les raisins secs et réservez-les. Rincez le riz dans une passoire au fin tamis. Pelez l'oignon et émincez-le finement.

2 Dans une grande casserole à fond épais, faites fondre le beurre à feu doux. Ajoutez l'oignon et laissez-le fondre et dorer en remuant avec une spatule pendant 5 minutes.

3 Ajoutez les raisins secs dans la casserole, mélangez pendant 1 min. pour qu'ils s'imprègnent de beurre. Versez le riz et remuez jusqu'à ce qu'il devienne transparent.

4 Versez l'eau sur le riz et 1 pincée de sel. Laissez cuire pendant 10 min. à petits bouillons. Pendant ce temps, faites griller les pignons de pin à sec dans une petite poêle.

5 Quand le riz a absorbé toute l'eau de cuisson, versez-le dans un plat de service. Parsemez-le des pignons et arrosez-le d'un filet de jus de citron. Servez aussitôt.

> DIÉTÉTIQUE :
de 200 à 400 Kcal

> ACCOMPAGNEMENT :
servez avec du poisson, un tajine ou un curry.

Mon astuce
La cuisson du riz : mélangez le riz en cours de cuisson pour qu'il ne colle pas. En fin de cuisson, s'il n'a pas totalement absorbé l'eau, retirez du feu, couvrez la casserole et attendez 5 minutes.

Riz aux raisins secs
et pignons

Légumes, pâtes et riz |

Riz basmati
aux lentilles corail

Inspiré de la cuisine indienne, ce plat marie deux féculents qui s'accordent parfaitement et harmonieusement. Les épices apportent une touche ensoleillée tout en restant discrètes.

> SAISON : toute l'année

> COÛT : ●○○

> DIFFICULTÉ : ●○○

> PRÉPARATION : 10 min

> CUISSON : 15 min

INGRÉDIENTS pour 4 personnes

- 150 g de riz basmati
- 150 g de lentilles corail
- 1 oignon
- 2 gousses d'ail
- 1 cuil. à café de curry
- 2 gousses de cardamome
- 3 clous de girofle
- 1 cuil. à soupe d'huile
- 1 noix de beurre
- Sel, poivre

1 Pelez l'oignon et les gousses d'ail. Hachez l'oignon menu. Coupez les gousses d'ail en quatre et dégermez-les.

2 Rincez le riz sous l'eau froide et égouttez-le. Dans une cocotte, faites chauffer 1 cuillerée d'huile et 1 noix de beurre. Faites dorer l'oignon en remuant avec une spatule en bois.

3 Versez le riz dans la cocotte et faites-le dorer légèrement en remuant sans cesse pendant 5 minutes. Arrosez-le de 60 cl d'eau bouillante. Ouvrez les gousses de cardamome.

> DIÉTÉTIQUE :
de 200 à 400 Kcal

> ACCOMPAGNEMENT :
servez avec une viande au curry.

4 Rincez les lentilles sous l'eau froide, égouttez-les et versez-les dans la cocotte avec l'ail et les épices. Mélangez et portez à ébullition. Couvrez et laissez cuire pendant 10 minutes.

5 Retirez du feu et laissez reposer 5 minutes. L'eau doit avoir été entièrement absorbée. Retirez l'ail et les épices et mélangez. Servez aussitôt.

Ma variante
Pour une préparation gourmande, vous pouvez ajouter des raisins secs, des amandes effilées ou des noix de cajou et 1 pincée de cannelle. Pour un plat complet, vous pouvez faire cuire des morceaux de poulet à la poêle et les ajouter à ce plat de riz et de lentilles.

Riz basmati
aux lentilles corail

Légumes, pâtes et riz |

Riz cantonais

Pourquoi aller chez le traiteur asiatique quand on peut réaliser un véritable riz cantonais en moins d'une demi-heure à la maison ? Les enfants se feront une joie de ce repas, et les adultes se régaleront de ce bol de riz inratable.

> SAISON : toute l'année
> COÛT : ●●●
> DIFFICULTÉ : ●●●
> PRÉPARATION : 20 min
> CUISSON : 20 min

INGRÉDIENTS pour 4 personnes

- 200 g de riz
- 150 g d'oignons surgelés
- 2 œufs
- 100 g de crevettes cuites décortiquées
- 1 talon de jambon
- 50 g de petits pois en boîte
- 1 cuil à soupe d'arôme saveur
- 2 cuil. d'huile d'arachide
- 3 champignons noirs séchés (facultatif)

1 Faites tremper pendant 15 min. environ les champignons dans un bol d'eau tiède pour les réhydrater.

2 Pendant ce temps, faites cuire le riz dans 1,5 litre d'eau avec l'arôme. Laissez cuire le temps indiqué moins 5 min. Égouttez le riz et réservez-le.

3 Battez les œufs et faites-en une omelette assez cuite. Faites-la glisser dans une assiette et coupez-la en lanières. Coupez le jambon en dés réguliers.

4 Coupez les champignons en petits morceaux après les avoir bien essorés. Dans une sauteuse, faites revenir les oignons dans l'huile jusqu'à ce qu'ils colorent.

5 Ajoutez les crevettes, le jambon, l'omelette, les champignons et les petits pois préalablement égouttés. Mélangez et ajoutez le riz cuit. Salez et poivrez et laissez cuire quelques min.

> DIÉTÉTIQUE : de 200 à 400 Kcal
> ACCOMPAGNEMENT : proposez à table un filet d'huile de sésame.

Mon astuce
Pour une saveur plus exotique, en fin de préparation, ajoutez 2 cuillères à soupe de sauce soja. Pour réchauffer le riz cantonais le lendemain, faites-le revenir dans une poêle avec un peu d'eau.

Riz cantonais

Spaghettis au pistou

Cette sauce au basilic et à l'ail accompagne superbement les pâtes et change de l'habituelle sauce tomate. Le pistou, pourtant simple à réaliser, apporte un je-ne-sais-quoi de sophistiqué.

> SAISON : toute l'année
> COÛT : ●●
> DIFFICULTÉ : ●●●
> PRÉPARATION : 10 min
> CUISSON : 10 min

INGRÉDIENTS pour 4 personnes
- 300 g de spaghettis
- 1 bouquet de basilic
- 4 gousses d'ail
- 60 g de parmesan râpé
- 30 g de pignons de pin
- 8 cuil. à soupe d'huile d'olive
- Sel, poivre

1 Dans une grande quantité d'eau bouillante salée, faites cuire les spaghettis selon le temps de cuisson indiqué par le fabricant.

2 Pendant ce temps, préparez le pistou. Épluchez les gousses d'ail, lavez soigneusement et séchez les feuilles de basilic.

3 Dans le bol du mixeur, mettez les gousses d'ail, les feuilles de basilic, le parmesan, les pignons de pin, un peu de sel et de poivre. Mixez en ajoutant peu à peu l'huile d'olive.

4 Une fois que les pâtes sont cuites, égouttez-les soigneusement de façon qu'elles ne rendent plus d'eau et disposez-les dans un plat de service.

5 Versez la sauce au pistou au milieu des pâtes et apportez le plat fumant devant vos invités. Remuez l'ensemble à table, juste avant de servir.

> DIÉTÉTIQUE :
> de 200 à 400 Kcal

> ACCOMPAGNEMENT :
> proposez à table un filet d'huile pimentée.

Mon marché
Si vous n'avez pas le temps de confectionner une sauce au pistou, ne vous privez pas de cette excellente recette : vous en trouverez dans le commerce.

Spaghettis
au pistou

Spaghettis aux petits artichauts

Laissez-vous tenter par la facilité de cette recette qui convient aussi bien pour un tête-à-tête que pour une tablée nombreuse.

> SAISON : toute l'année
> COÛT : ●○○
> DIFFICULTÉ : ●○○
> PRÉPARATION : 10 min
> CUISSON : 10 min

INGRÉDIENTS pour 4 personnes

- 400 g de spaghettis
- 1 bocal de petits artichauts marinés à l'huile
- 1 petit piment
- 120 g de parmesan
- Quelques branches de persil
- Sel

1 Portez à ébullition une grande marmite d'eau salée. Plongez-y les pâtes, baissez le feu et laissez-les cuire à feu moyen.

2 Pendant la cuisson des pâtes, coupez les artichauts en deux. Versez-les dans une sauteuse avec leur huile et le piment haché. Faites-les chauffer à feu doux quelques minutes.

3 Coupez le parmesan en deux. À l'aide d'un couteau économe, faites des copeaux de la première moitié et râpez l'autre moitié. Lavez, essorez et ciselez le persil.

4 Égouttez les spaghettis, mettez-les dans la sauteuse avec les artichauts et le parmesan râpé, mélangez bien pour que les arômes se lient. Laissez cuire encore 2 minutes à feu doux.

5 Mettez les spaghettis dans un plat creux. Parsemez-les de persil et de copeaux de parmesan. Servez aussitôt.

> DIÉTÉTIQUE : de 200 à 400 Kcal

> ACCOMPAGNEMENT : pour les affamés, proposez des tranches de jambon de pays.

Spaghettis
aux petits artichauts

Desserts et entremets

Agrumes au miel et à la vanille

Voici une version élaborée de la classique salade de fruits : l'acidité des agrumes est ici adoucie par la saveur sucrée du miel, de la vanille et relevée par le clou de girofle. Un pure délice !

> SAISON : hiver
> COÛT : ●●●
> DIFFICULTÉ : ●●●
> PRÉPARATION : 15 min
> CUISSON : aucune

INGRÉDIENTS pour 4 personnes
- 4 pamplemousses
- 4 oranges
- 2 clémentines
- 2 gousses de vanille
- 3 cuil. à soupe d'amandes effilées
- 4 cuil. à café de miel liquide
- 1 clou de girofle

1 Préparez les fruits. Mettez de côté 1 pamplemousse et 2 oranges. Pelez les autres pamplemousses, les autres oranges et les clémentines.

2 Coupez les fruits épluchés en tranches. Pressez le jus du pamplemousse et des 2 oranges réservés.

3 Coupez les gousses de vanille en deux et prélevez-en les graines à l'aide d'une petite cuillère.

4 Incorporez au jus des agrumes le miel, les graines de vanille et le clou de girofle écrasé.

5 Disposez les quartiers de fruits dans un plat de service transparent, versez le jus par-dessus et parsemez d'amandes effilées.

> DIÉTÉTIQUE : jusqu'à 200 Kcal
> ACCOMPAGNEMENT : servez avec une boule de glace à la vanille ou un sorbet au citron vert.

Mon astuce
Si vous ne trouvez pas de gousses de vanille entières, procurez-vous au rayon pâtisserie de la vanille sous forme d'extrait ou de poudre de gousse. À défaut, utilisez un sirop de vanille.

Agrumes au miel
et à la vanille

Desserts et entremets |

Apple pie

Ce n'est après tout qu'une tourte « pie », aux pommes « apple »,
qui a la particularité de se présenter à l'envers de notre tarte préférée.
Mais ce simple changement fait toute la différence...

> SAISON : toute l'année
> COÛT : ●●○
> DIFFICULTÉ : ●●○
> PRÉPARATION : 20 min
> CUISSON : 30 min

INGRÉDIENTS pour 6 personnes
- 1 pâte sablée
- 750 g de pommes
- 1/2 cuillerée à café de cannelle en poudre
- Le jus d'1/2 orange
- 1 cuillerée à café d'extrait de vanille
- 60 g de cassonade
- 1 jaune d'œuf

1 Préparez les pommes : épluchez-les et évidez-les. Avec un couteau de cuisine à lame courte, coupez les pommes en quartiers réguliers. Préchauffez votre four à 220°C.

2 Dans une jatte, mélangez les pommes avec l'extrait de vanille, le jus d'orange, la cannelle et la cassonade.

3 Mettez les fruits dans un plat à gratin rond. Recouvrez cette garniture avec la pâte sablée déroulée. Coupez ce qui dépasse.

4 Pincez les bords de la pâte contre le plat avec une fourchette, puis dorez la pâte avec le jaune d'œuf.

5 Faites une cheminée au centre avec du papier aluminium. Enfournez 30 min à 220°C. Laissez tiédir quelques minutes et amenez le plat à table. Servez.

> DIÉTÉTIQUE : de 200 à 400 Kcal
> ACCOMPAGNEMENT : proposez une tasse de thé à la bergamote ou à la cannelle.

Mon astuce
Cette recette nécessite un moule aux bords suffisamment hauts (6 cm environ) et suffisamment épais pour pouvoir fixer la pâte sur le rebord. Comme pour le crumble, servez l'apple pie avec de la crème fraîche, de la crème anglaise, ou une boule de glace.

Apple pie

Couscous sucré aux raisins et aux dattes

Céréale et fruits secs, le couscous sucré aux parfums exotiques est une grande tradition méditerranéenne. Il peut se déguster à toute heure, le matin comme au goûter...

> SAISON : automne-hiver
> COÛT : ●●●
> DIFFICULTÉ : ●●●
> PRÉPARATION : 25 min
> CUISSON : 5 min

INGRÉDIENTS pour 4 personnes
- 100 g de raisins secs
- 150 g de dattes
- 100 g d'amandes effilées
- 2 cuil. à soupe de miel
- 1 cuil. à café de cannelle
- 1 cuil. à soupe d'eau de fleur d'oranger
- 150 g de semoule
- Le jus de 1 citron

1 Mettez les raisins secs à tremper dans un bol d'eau tiède. Dénoyautez les dattes et coupez-les en morceaux. Versez la semoule dans un saladier.

2 Faites chauffer 15 cl d'eau avec le miel. À ébullition, versez sur la semoule et mélangez. Pressez le citron et versez le jus sur la semoule.

3 Saupoudrez le tout de cannelle et d'eau de fleur d'oranger. Mélangez la semoule avec une fourchette en l'aérant, couvrez et laissez gonfler 10 minutes.

4 Dans une petite poêle à revêtement antiadhésif, faites griller les amandes à sec pendant 2 minutes, en les retournant. Égouttez les raisins secs.

5 Mélangez les dattes et les raisins au couscous sucré et parsemez le plat d'amandes grillées. Servez frais ou à température ambiante.

> DIÉTÉTIQUE :
> 400 Kcal et plus

> ACCOMPAGNEMENT :
> servez avec du thé à la menthe ou du café.

Mon astuce
Utilisez de la semoule fine précuite qui gonfle rapidement. Pour obtenir une semoule légère, faites-la cuire à la vapeur protégée par un torchon pendant 10 minutes. Ensuite, mélangez-la à la fourchette. Faites chauffer le jus de citron et le miel. Mélangez le tout à la fourchette.

Couscous sucré
aux raisins
et aux dattes

Crème renversée
au caramel

Rien de tel qu'une bonne crème caramel fondante et onctueuse pour terminer le repas. C'est un grand classique, économique, très vite fait, et qui fera toujours l'unanimité. Pourquoi s'en priver ?

> SAISON : toute l'année
> COÛT : ●●●
> DIFFICULTÉ : ●●●
> PRÉPARATION : 10 min
> CUISSON : 45 min

INGRÉDIENTS pour 4 personnes

- 1/2 litre de lait
- 120 g de sucre
- 4 œufs
- 1 cuil. à soupe d'extrait de vanille en poudre

Pour le caramel :
- 100 g de sucre
- 5 cl d'eau

1 Dans une casserole à fond épais, préparez le caramel : faites chauffer le sucre avec l'eau. Portez à ébullition.

2 Laissez cuire environ 4 minutes jusqu'à ce que le mélange blondisse et devienne presque acajou. Versez-le sans attendre dans les ramequins.

3 Préchauffez le four à 170 °C (th. 5-6). Faites bouillir le lait dans une casserole. Ajoutez la vanille en poudre et laissez-la infuser 10 minutes à couvert.

4 Pendant ce temps, battez les œufs et le sucre au fouet métallique. Versez peu à peu le lait chaud vanillé sur les œufs sans cesser de remuer. Versez dans les ramequins caramélisés.

5 Disposez les ramequins dans un grand plat allant au four et ajoutez de l'eau à mi-hauteur. Laissez cuire de 45 à 50 minutes. Laissez reposer et mettez au frais.

> DIÉTÉTIQUE : de 200 à 400 Kcal
> ACCOMPAGNEMENT : servez avec des tuiles ou des mini-cakes au citron.

Mon astuce
Lorsque le caramel a atteint sa couleur acajou, versez-le rapidement dans les ramequins pour qu'il n'ait pas le temps de se solidifier. Faites pivoter les ramequins pour bien enduire de caramel tout le fond des moules.

Figues au miel et aux épices

Ces figues en compote dégagent un savoureux parfum méditerranéen.
Ce dessert simple, préparé avec des fruits de saison relevés de quelques épices,
aura une saveur gourmande digne d'un grand restaurant.

> SAISON : été

> COÛT : ●○○

> DIFFICULTÉ : ●●○

> PRÉPARATION : 15 min

> CUISSON : 25 min

INGRÉDIENTS pour 4 personnes

- 12 figues
- 3 oranges
- 1 citron non traité
- 2 cuil. à soupe de miel
- 1 cuil. à café de cannelle
- 1/2 cuil. à café de gingembre en poudre

1 Passez les figues sous l'eau fraîche et épongez-les délicatement dans du papier absorbant. Coupez le pédoncule et faites une petite incision en croix sur le dessus.

2 Lavez le citron et une orange. Essuyez-les et prélevez finement le zeste du citron et d'une demi-orange. Mettez le zeste dans une casserole avec un peu d'eau. Faites-le bouillir 5 minutes.

3 Pendant ce temps, pressez le jus des oranges et du citron. Dans une grande casserole, versez le jus, le zeste, le miel et les épices. Ajoutez les figues et faites cuire 15 minutes à feu doux.

> DIÉTÉTIQUE : de 200 à 400 Kcal

> ACCOMPAGNEMENT : servez avec des boules de glace à la vanille.

Mon astuce
Pour gagner du temps, vous pouvez utiliser 25 cl de jus d'orange frais et ne pas mettre de zeste. Vous pouvez présenter les figues dans des coupes avec une boule de glace aux amandes ou au nougat au milieu et servir avec des tuiles aux amandes ou des spéculoos. Émiettez par-dessus de petits morceaux de nougat.

4 Vérifiez que les figues n'attachent pas. Sortez les figues à l'aide d'une écumoire et déposez-les délicatement dans un joli plat creux.

5 Laissez bouillir et réduire le sirop de cuisson pendant 5 minutes jusqu'à ce qu'il devienne sirupeux. Versez-le sur les figues. Servez tiède ou à température ambiante.

Figues au miel
et aux épices

Financiers
aux fraises

Retrouvez les plaisirs simples et savoureux de vos gâteaux d'enfance.
Ce gâteau moelleux à la poudre d'amandes ne peut que retenir votre attention.

> SAISON : toute l'année
> COÛT : ●○○
> DIFFICULTÉ : ●○○
> PRÉPARATION : 15 min
> CUISSON : 15 min

INGRÉDIENTS pour 6 personnes
- 200 g de sucre glace
- 120 g de poudre d'amandes
- 80 g de farine
- 120 g de beurre
- 4 blancs d'œufs
- 100 g de fraises

1 Préchauffez le four à 180° C (th. 6). Dans un saladier, mélangez la farine avec les amandes en poudre et le sucre.

2 Dans une casserole à fond épais, faites fondre le beurre, puis versez-le sur le mélange de farine tout en remuant jusqu'à l'obtention d'une pâte bien homogène.

3 Montez les blancs en neige avec 1 pincée de sel. Ils ne doivent pas être trop fermes. Ajoutez-les au mélange. Remuez.

4 Lavez rapidement les fraises, essuyez-les avec du papier absorbant et coupez-les en deux. Répartissez la pâte dans des petits moules en papier.

5 Enfoncez dans la pâte des morceaux de fraise et passez au four entre 10 et 15 min.

> DIÉTÉTIQUE :
> de 200 à 400 Kcal

> ACCOMPAGNEMENT :
> servez avec un thé
> à la menthe.

Mon astuce
Si vous ne trouvez pas de moules en papier, utilisez des moules à financier préalablement beurrés s'ils sont en métal ou sans matière grasse s'ils sont en silicone (type Flexipan).

Financiers
aux fraises

Desserts et entremets |

Fromage blanc menthe et chocolat

À découvrir, ce dessert idéal après un repas copieux. Vous verrez que le mariage menthe-chocolat, toujours heureux, s'accorde parfaitement avec le fromage blanc, frais et velouté.

> SAISON : toute l'année

> COÛT : ●●○

> DIFFICULTÉ : ●○○

> PRÉPARATION : 10 min

> CUISSON : aucune

INGRÉDIENTS pour 4 personnes

- 700 g de fromage blanc
- 4 cuillères à soupe de sucre en poudre
- 2 cuillères à soupe de sirop de menthe
- 1 petit bouquet de menthe fraîche
- Quelques carrés de chocolat

1 Lavez et mixez les feuilles de menthe. Réservez-en quelques-unes pour la décoration.

2 Mettez dans un saladier le fromage blanc. Ajoutez le sucre et le sirop de menthe. Battez le tout avec un fouet métallique.

3 Au-dessus d'un bol, râpez le chocolat avec une râpe à fromage ou confectionnez des copeaux à l'aide d'un éplucheur à légumes.

4 Ajoutez le chocolat râpé et la menthe ciselée au fromage blanc. Mélangez délicatement.

5 Mettez au moins 30 minutes au réfrigérateur. Décorez de quelques feuilles de menthe au moment de servir.

> DIÉTÉTIQUE : jusqu'à 200 Kcal

> ACCOMPAGNEMENT : pour un dîner chic, servez avec des macarons au chocolat.

Mon conseil santé
En version minceur, utilisez du fromage blanc allégé, et pour changer un peu, pourquoi pas des petits-suisses eux aussi allégés ?

Fromage blanc
menthe et chocolat

Desserts et entremets |

Gratin de poires
à la cannelle

Un dessert automnal, très simple à réaliser. Un gratin de fruits fait toujours plus d'impression qu'une simple salade de fruits.

> SAISON : automne-hiver

> COÛT : ●●●

> DIFFICULTÉ : ●●●

> PRÉPARATION : 15 min

> CUISSON : 25 min

INGRÉDIENTS pour 4 personnes

- 4 poires
- 1 citron
- 1 sachet de sucre vanillé
- 2 pincées de cannelle en poudre
- 25 cl de lait
- 2 œufs
- 4 cuil. à soupe de sucre en poudre

1 Préchauffez le four à 210 °C (th. 7). Pelez les poires et coupez-les en quartiers. Retirez le cœur et les pépins. Arrosez-les de jus de citron.

2 Répartissez les quartiers de poire dans des ramequins individuels. Saupoudrez-les de sucre vanillé et de cannelle. Faites chauffer le lait dans une casserole.

3 Cassez les œufs dans une jatte et battez-les en omelette. Versez le lait bouillant sur les œufs et battez vivement. Ajoutez le sucre en poudre et mélangez à nouveau.

> DIÉTÉTIQUE : de 200 à 400 Kcal

> ACCOMPAGNEMENT : servez avec des tuiles aux amandes.

4 Versez doucement ce mélange sur les poires et mettez les ramequins au four. Laissez cuire une vingtaine de minutes.

5 Sortez les ramequins du four et laissez-les tiédir avant de servir.

Gratin de poires
à la cannelle

Desserts et entremets |

Œufs
à la neige

Quatre ingrédients et un four à micro-ondes, 15 min de préparation, un résultat surprenant et la réussite assurée !

> SAISON : été
> COÛT : ●○○
> DIFFICULTÉ : ●●○
> PRÉPARATION : 15 min
> CUISSON : aucune

INGRÉDIENTS pour 4 personnes
- 6 œufs
- 2 cuillères à soupe de sucre glace
- 1 litre de crème anglaise
- 1 pincée de sel

1 Sortez les œufs du frigo au moins 1/2 heure avant la préparation. Cassez les œufs et séparez les jaunes des blancs d'œufs dans 2 bols différents.

2 Mettez une pincée de sel dans les blancs d'œufs. Montez-les en neige avec un batteur électrique. Ajoutez au fur et à mesure le sucre glace en pluie.

3 Quand ils sont bien fermes, transvasez les blancs dans un récipient à bords hauts adapté au micro-ondes.

4 Passez-les au micro-ondes pendant 1 min, puissance minimale, pour les faire gonfler. Plantez un couteau pour vérifier la cuisson et remettez 1 min si nécessaire.

5 Découpez des parts puis placez-les dans des coupelles individuelles avec la crème anglaise bien fraîche. Placez au réfrigérateur le temps du repas.

> DIÉTÉTIQUE : jusqu'à 200 Kcal

> ACCOMPAGNEMENT : servez avec des tuiles.

Mon astuce
Autant pour décorer et colorer que pour savourer, abusez de caramel liquide sur le dessus et de petits vermicelles arc-en-ciel dont raffolent les enfants !

Œufs
à la neige

Desserts et entremets |

Pain d'épice perdu aux pêches

C'est un dessert sans prétention qui étonnera et ravira plus d'un gourmand. L'association des fruits et du parfum du pain d'épice légèrement caramélisé est un vrai délice.

> SAISON : toute l'année
> COÛT : ●●●
> DIFFICULTÉ : ●●●
> PRÉPARATION : 15 min
> CUISSON : 25 min

INGRÉDIENTS pour 4 personnes
- 10 tranches de pain d'épice
- 1 grosse boîte de pêches au sirop
- 100 g de beurre
- 15 cl de crème fleurette
- 120 g de sucre roux
- 1 pincée de cannelle en poudre

1 Beurrez les tranches de pain d'épice. Disposez-les côté beurré dans le fond d'un grand plat à gratin. Préchauffez le four à 180 °C (th. 6).

2 Ouvrez la boîte de pêches au sirop. Égouttez les fruits et répartissez-les dans le plat sur les tranches de pain d'épice.

3 Dans un bol, fouettez la crème et le sucre. Ajoutez 2 cuillerées à soupe de sirop de pêche. Mélangez bien.

4 Versez cette préparation sur les pêches en la répartissant équitablement. Saupoudrez de cannelle.

5 Faites cuire au four pendant 20 à 25 minutes. Augmentez la température du four à 200 °C (th. 7) en fin de cuisson, si vous voulez que les pêches caramélisent légèrement. Servez tiède.

> DIÉTÉTIQUE : de 200 à 400 Kcal
> ACCOMPAGNEMENT : servez ce dessert avec une boule de glace à la vanille ou à la pistache.

Mon marché
Choisissez un pain d'épice standard, prédécoupé. Pour un dessert plus sophistiqué, vous pouvez vous procurer du pain d'épice au gingembre ou à l'orange. Le résultat n'en sera que meilleur.

Pain d'épice perdu
aux pêches

Desserts et entremets |

Poires caramélisées et sorbet au chocolat

Un dessert gourmand et gourmet très léger à réaliser en 10 minutes au dernier moment.

> SAISON : toute l'année
> COÛT : ●●●
> DIFFICULTÉ : ●●●
> PRÉPARATION : 10 min
> CUISSON : 10 min

INGRÉDIENTS pour 4 personnes
- 4 poires
- 40 g de beurre
- 2 cuil. à soupe de miel liquide
- 1 gousse de vanille
- 50 g d'amandes effilées
- 4 boules de sorbet au chocolat
- 4 cigarettes russes

1 Pelez délicatement les poires, débarrassez-les de leur queue et de leurs pépins et coupez-les en quatre.

2 Faites fondre le beurre dans une sauteuse à feu doux et mettez doucement les quartiers de poire à dorer. Fendez la gousse de vanille en deux.

3 À l'aide d'une petite cuillère, grattez les grains de vanille sur les poires. Arrosez de miel et poursuivez la cuisson 3 minutes en retournant délicatement les poires.

4 Sortez les poires avec une écumoire et disposez les quartiers en étoile sur des assiettes à dessert. Arrosez de jus au miel. Faites griller les amandes à la poêle.

5 Saupoudrez les poires d'amandes. Confectionnez 4 boules de sorbet au chocolat, mettez-les au milieu de chaque assiette et plantez les cigarettes russes dedans. Servez tiède.

> DIÉTÉTIQUE : de 200 à 400 Kcal
> ACCOMPAGNEMENT : servez avec un vin blanc liquoreux.

Ma variante
Proposez des poires au chocolat fondu. Faites pocher 4 poires entières épluchées, couvertes aux 2/3 d'eau avec 80 g de sucre en poudre, jusqu'à ce qu'elles deviennent presque translucides. Laissez-les refroidir dans leur sirop. Au bain-marie, faites fondre 200 g de chocolat avec 10 cl de crème fraîche liquide. Dressez les poires dans des verrines, nappées de sauce au chocolat.

Poires caramélisées
et sorbet au chocolat

Desserts et entremets |

Poires pochées au safran

Un dessert confectionné en très peu de temps et d'une extrême délicatesse grâce à l'accord poire, vin blanc liquoreux et safran. À réserver pour un dîner d'exception.

> SAISON : automne-hiver
> COÛT : ●●○
> DIFFICULTÉ : ●○○
> PRÉPARATION : 15 min
> CUISSON : 20 min

INGRÉDIENTS pour 4 personnes
- 4 poires
- 1/2 litre de vin blanc moelleux (coteaux du layon, jurançon)
- 1 gousse de vanille
- 1 pincée de filaments de safran
- 50 g de miel
- 20 g de beurre
- 1 demi-citron vert
- 4 tranches de pain d'épices

1 Commencez par éplucher délicatement les poires, en essayant de conserver les queues.

2 Dans une casserole à fond épais, versez le vin, le miel et le safran. Fendez la gousse de vanille et grattez-la au-dessus de la casserole pour en extraire les grains. Mettez la gousse dans la casserole.

3 Portez l'ensemble à ébullition. Plongez délicatement les poires dans la casserole et laissez-les pocher 20 minutes.

4 Pendant ce temps, rincez le demi-citron, lavez-le avec une petite brosse, puis râpez le zeste. Faites dorer les tranches de pain d'épices dans le beurre.

5 Disposez chaque poire dans un petit ramequin ou un bol transparent. Nappez-les de sirop, parsemez-les de zeste de citron et servez avec les tranches de pain d'épices.

> DIÉTÉTIQUE :
> de 200 à 400 Kcal
> ACCOMPAGNEMENT :
> servez avec une boule de glace à la vanille pour les plus gourmands.

Mon marché
Utilisez des poires qui se tiennent très bien à la cuisson comme des williams. Utilisez du safran en filaments (qui est présenté le plus souvent sous forme de dosette), plutôt que du safran en poudre, moins cher mais au goût beaucoup moins puissant et moins subtil.

Pommes au four
à la gelée de coing

On ne se lasse pas des pommes doucement caramélisées. En compote,
en tarte ou rôties au four, elles se marient parfaitement à la gelée de coing.

> **SAISON :** automne-hiver

> **COÛT :** ●●●

> **DIFFICULTÉ :** ●●●

> **PRÉPARATION :** 15 min

> **CUISSON :** 30 min

INGRÉDIENTS pour 4 personnes

- 4 pommes
- 50 g de beurre
- 1 pot de gelée de coing
- 2 cuil. à soupe de crème fraîche
- 50 g de noix
- 1 sachet de sucre vanillé
- 4 spéculoos
- 1/2 litre de glace à la vanille

1 Lavez les pommes et creusez une cheminée dans chacune d'elles en retirant les pépins.

2 Faites fondre le beurre dans une petite casserole. Ajoutez la gelée de coing, la crème et le sucre vanillé. Remuez. Laissez réduire 5 minutes.

3 Concassez et hachez les noix. Retirez la casserole du feu et versez-y les noix. Préchauffez le four à 180 °C (th. 6). Disposez les pommes dans un plat beurré allant au four.

4 Versez le mélange dans le creux des pommes, puis émiettez les spéculoos par-dessus. Mettez au four 30 minutes.

5 Au moment de servir, disposez chaque pomme dans une assiette à dessert. Décorez avec des quenelles de glace, confectionnées avec une cuillère à soupe.

> **DIÉTÉTIQUE :**
> de 200 à 400 Kcal

> **ACCOMPAGNEMENT :**
> servez avec un verre de vin
> doux naturel de type banyuls.

Mon astuce
Vous pouvez remplacer les spéculoos par du pain d'épices.

Pommes au four
à la gelée de coing

Desserts et entremets |

Pommes au four au miel et aux noix

On peut rechigner à manger des fruits… mais une pomme au four fondante et parfumée, personne n'y résistera !
C'est un dessert à la portée de toutes les bourses et de toutes les cuisinières.

> SAISON : automne-hiver
> COÛT : ●●●
> DIFFICULTÉ : ●●●
> PRÉPARATION : 15 min
> CUISSON : 25 min

INGRÉDIENTS pour 4 personnes
- 6 pommes
- 100 g de cerneaux de noix
- 50 g de raisins de Corinthe
- 20 g de beurre
- 6 cuil. à soupe rases de miel
- 1 cuil. à soupe de sucre roux
- 1 cuil. à café de cannelle

1 Préchauffez le four à 180 °C (th. 6). Faites tremper les raisins dans un bol d'eau chaude. Rincez les pommes sous l'eau fraîche et essuyez-les.

2 Découpez sur chaque pomme au niveau de la queue un chapeau d'environ 2 cm d'épaisseur. Évidez les pommes avec un vide-pomme ou à l'aide d'un couteau pointu : creusez l'intérieur afin de retirer le trognon et les pépins.

3 Beurrez un plat allant au four assez grand pour contenir les 6 pommes. Disposez-y les pommes évidées.

> DIÉTÉTIQUE :
>   jusqu'à 200 Kcal
> ACCOMPAGNEMENT :
>   servez avec de la brioche
>   et un soupçon de crème.

Ma variante
Vous pouvez encore simplifier la recette sans qu'elle perde de son intérêt gustatif. Préparez et évidez les pommes, puis fourrez-les tout simplement d'une noisette de beurre et saupoudrez-les d'un peu de sucre. Autre variante, plus gourmande : ajoutez dans chaque pomme une noisette de beurre et une cuillerée de gelée de groseille.

4 Cassez grossièrement les cerneaux de noix. Égouttez les raisins. Mettez les noix et les raisins dans un bol avec le miel. Mélangez. Fourrez chaque pomme équitablement de cette préparation.

5 Recouvrez les pommes de leur chapeau. Saupoudrez-les de sucre roux et de cannelle. Enfournez-les et laissez-les cuire de 20 à 25 minutes. Servez tiède.

Pommes au four
au miel et aux noix

Soufflé
à la confiture de mûres

Voici un dessert que l'on peut exhiber fièrement, car non seulement il a fière allure, mais il est sacrément bon. N'allez pas raconter qu'il ne vous a pris que quelques minutes !

> SAISON : été
> COÛT : ●●●
> DIFFICULTÉ : ●●●
> PRÉPARATION : 10 min
> CUISSON : 30 min

INGRÉDIENTS pour 4 personnes
- 4 œufs
- 1/2 pot de confiture de mûres
- 3 cuil. à soupe de sucre glace
- 1 pincée de sel
- 20 g de beurre

1 Préchauffez le four à 180 °C (th. 6). Beurrez un moule à soufflé à bord suffisamment haut.

2 Séparez les blancs d'œufs des jaunes, réservez les jaunes pour une autre utilisation et battez au batteur électrique les blancs en neige bien ferme avec une pincée de sel.

3 Mettez la confiture dans un saladier et incorporez les blancs en neige délicatement.

4 Versez la préparation dans le moule et enfournez 30 minutes. N'ouvrez pas la porte du four pendant la cuisson, sous peine que le soufflé ne se dégonfle.

5 Sortez le soufflé du four, saupoudrez-le de sucre glace et servez-le immédiatement, car un soufflé n'attend pas.

> DIÉTÉTIQUE :
> de 200 à 400 Kcal

> ACCOMPAGNEMENT :
> proposez une boule de glace à la vanille.

Mon astuce
Ce serait dommage de jeter les jaunes d'œufs. Pensez à les utiliser dans une recette qui ne nécessite que des jaunes : une mayonnaise, une crème anglaise, une crème pâtissière, ou les ajouter tout simplement à une purée.

Soufflé
à la confiture de mûres

Desserts et entremets |

Soupe au chocolat et langues de chat

N'hésitez pas à succomber à ce dessert facile à réaliser, qui plaira aussi bien aux petits qu'aux grands. Pour terminer un dîner sur une note légère sans sacrifier le plaisir des saveurs de l'enfance.

> SAISON : toute l'année
> COÛT : ●●●
> DIFFICULTÉ : ●●●
> PRÉPARATION : 20 min
> CUISSON : 15 min

INGRÉDIENTS pour 4 personnes

Pour la soupe
- 100 g de chocolat
- 15 cl de lait
- 30 g de beurre
- 10 cl de crème liquide

Pour les langues de chat
- 60 g de farine
- 50 g de beurre
- 50 g de sucre
- 1 blanc d'œuf

1 Préchauffez le four à 180 °C (th. 6). Faites ramollir le beurre au micro-ondes sans le laisser fondre. Mélangez le sucre et le beurre au fouet jusqu'à l'obtention d'une crème onctueuse.

2 Montez le blanc d'œuf en neige et incorporez-le à la crème, ajoutez la farine en pluie. Beurrez une plaque de cuisson et façonnez des langues de chat en laissant au moins 4 mm entre chacune.

3 Enfournez 6 minutes. Pendant ce temps, coupez le chocolat en petits carrés et mettez-les dans un saladier. Dans une casserole, portez à ébullition la crème liquide avec le lait.

4 Retirez le lait du feu dès les premiers frémissements. Verse-le peu à peu sur le chocolat. Remuez bien le tout avec une cuillère en bois. Ajoutez le beurre en parcelles, mélangez à nouveau.

5 Répartissez la soupe dans des assiettes creuses et servez avec les langues de chat.

> DIÉTÉTIQUE : de 200 à 400 Kcal
> ACCOMPAGNEMENT : proposez des orangettes au chocolat.

Mon astuce
Pour façonner les langues de chat, vous pouvez vous aider d'une poche à douille lisse de 6 mm de diamètre ou les confectionner avec une petite cuillère en allongeant la préparation pour lui donner l'apparence de langues.
Il faut impérativement surveiller leur cuisson ! Elles doivent être d'un joli blond et légèrement brunies sur les bords. Laissez-les refroidir avant de les déguster.

Soupe au chocolat
et langues de chat

Desserts et entremets |

Sunday ou crème glacée au caramel

Vous connaissez probablement ce dessert mis à la mode par un célèbre fast-food. Vos enfants pourront dorénavant le déguster à la maison... Préparé en quelques minutes, il clôturera votre repas par une agréable touche de douceur.

> SAISON : toute l'année
> COÛT : ●●●
> DIFFICULTÉ : ●●●
> PRÉPARATION : 15 min
> CUISSON : 4 min

INGRÉDIENTS pour 4 personnes
- 1 litre de glace à la vanille
- 30 g d'amandes entières
- 50 g de noix de pécan concassées

Pour le caramel
- 100 g de sucre
- 10 cl de crème fraîche liquide
- 30 g de beurre salé

1 Faites griller quelques minutes les amandes entières dans une poêle antiadhésive, sans ajout de matière grasse.

2 Préparez le caramel : faites fondre le sucre à sec, sans ajouter d'eau, dans une casserole antiadhésive, à feu doux.

3 Dès que le caramel est blond, pas encore brun, ajoutez la crème fraîche, puis le beurre coupé en petits morceaux. Remuez avec une cuillère en bois.

4 Jetez les noix de pécan dans le caramel. Laissez encore quelques instants sur feu doux.

5 Préparez rapidement la glace : remplissez de glace de grands verres ou des coupelles transparentes, arrosez de caramel aux noix de pécan et parsemez d'amandes entières.

> DIÉTÉTIQUE :
  400 Kcal et plus
> ACCOMPAGNEMENT :
  servez avec du pop-corn
  pour un dessert de fête.

Mon marché
Privilégiez une très bonne glace à la vanille, avec les graines de vanille apparentes, dont la texture se rapproche plus d'une crème que d'un sorbet.

Sunday ou crème
glacée au caramel

Desserts et entremets |

Tarte amandine
aux poires

Appelé aussi tarte bourdaloue – du nom de la rue parisienne où s'était installé son créateur –, ce dessert qui associe des poires à une préparation à base d'amandes est un véritable régal…

> SAISON : toute l'année
> COÛT : ●●●
> DIFFICULTÉ : ●●●
> PRÉPARATION : 15 min
> CUISSON : 25 min

INGRÉDIENTS pour 6 personnes
- 1 pâte brisée
- 1 grosse boîte de poires au sirop (850 g)
- 100 g de beurre
- 100 g de sucre
- 100 g d'amandes en poudre
- 25 g de farine
- 2 œufs

1 Mettez le beurre dans une coupelle en porcelaine. Faites-le ramollir au four à micro-ondes 2 min en position décongélation.

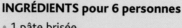

2 Dans une terrine, versez le beurre mou. Ajoutez le sucre et remuez avec un fouet métallique jusqu'à ce que le mélange blanchisse.

3 À part dans un bol, battez les œufs en omelette. Ajoutez-les à la préparation, ainsi que les amandes et la farine. Mélangez le tout.

4 Beurrez légèrement votre moule à tarte. Habillez votre moule à tarte avec la pâte brisée déroulée et piquez-la avec une fourchette.

5 Versez le mélange, puis enfoncez doucement 6 demi-poires en cercle dans la pâte (côté bombé) et une dernière au centre. Faites cuire 25 min à 180 °C. Servez la tarte encore tiède.

> DIÉTÉTIQUE : de 200 à 400 Kcal

> ACCOMPAGNEMENT : proposez de la crème fouettée ou une boule de glace à la vanille.

Mon marché
La pâte prête à l'emploi est vraiment pratique ! Traitée comme une pâte maison, le résultat sera à s'y méprendre. Pour cela sortez la pâte du frigo au dernier moment, elle gonflera mieux au four. Badigeonnez-la de jaune d'œuf pour qu'elle dore uniformément. Scellez soigneusement les bords en les collant avec un peu d'eau froide et en les pinçant entre deux doigts.

Tarte amandine
aux poires

Desserts et entremets |

Tarte aux poires et au chocolat

Il existe en cuisine des mariages parfaits comme celui du chocolat et de la poire. Très rapide et très facile à réaliser, cette tarte est digne d'un artisan pâtissier. Pour une soirée réussie en perspective.

> SAISON : toute l'année
> COÛT : ●●●
> DIFFICULTÉ : ●●●
> PRÉPARATION : 10 min
> CUISSON : 30 min

INGRÉDIENTS pour 6 personnes

- 1 boîte de poires au sirop
- 1 rouleau de pâte sablée
- 200 g de chocolat noir
- 100 g de beurre
- 100 g de sucre en poudre
- 100 g de poudre d'amandes

1 Préchauffez le four à 210 °C (th. 7). Garnissez un moule à tarte de pâte sablée. Piquez-la avec une fourchette et faites-la cuire à blanc pendant 10 minutes.

2 Faites ramollir le beurre 2 min. sur la position décongélation du micro-ondes. Dans un saladier, mélangez le beurre, la poudre d'amandes et le sucre jusqu'à l'obtention d'un mélange lisse.

3 Faites fondre le chocolat 2 minutes au micro-ondes à la puissance maximale. Égouttez les poires sur du papier absorbant.

4 Versez la préparation au beurre sur le fond de la tarte, puis versez le chocolat fondu par-dessus. Disposez ensuite les demi-poires, côté bombé vers vous.

5 Faites cuire la tarte 15 min. Laissez-la tiédir et servez-la directement dans le plat.

> DIÉTÉTIQUE :
> 400 Kcal et plus

> ACCOMPAGNEMENT :
> pour les plus gourmands, servez avec une boule de glace à la vanille.

Mon astuce
Vous pouvez faire votre pâte sablée vous-même : dans un robot, mélangez 1 œuf, 125 g de sucre, 1 pincée de sel. Puis 250 g de farine et 125 g de beurre coupé en dés. Formez une boule. Généralement, le temps de repos de la pâte est de 1 heure, mais il n'est pas indispensable.

Tarte aux poires
et au chocolat

Desserts et entremets |

Tatin de bananes en mille-feuille

Un dessert original, à la fois gourmand et ludique. Les bananes caramélisées, surmontées de crème fraîche et de petits gâteaux, ne devraient laisser personne indifférent.

> SAISON : toute l'année
> COÛT : ●●●
> DIFFICULTÉ : ●●●
> PRÉPARATION : 5 min
> CUISSON : 15 min

INGRÉDIENTS pour 4 personnes
- 3 bananes
- 150 g de sucre
- 40 g de beurre
- 1 paquet de palmier
- 80 g de crème épaisse
- 1 bac de glace à la vanille

1 Épluchez les bananes et coupez-les en rondelles épaisses. Dans une sauteuse, faites un caramel avec le sucre et 1 cuillerée à soupe d'eau.

2 Faites chauffer jusqu'à l'obtention d'un caramel blond. Ajoutez les bananes et le beurre coupé en dés.

3 Remuez avec une cuillère en bois et laissez mijoter 5 minutes sans cesser de remuer.

4 Montez les gâteaux. Disposez sur le plan de travail 4 assiettes à dessert. Mettez 1 palmier dans chacune. Couvrez de compote de banane et d'un peu de crème fraîche.

5 Saupoudrez de cannelle. Renouvelez l'opération en finissant par 1 palmier. Servez avec une boule de glace à la vanille.

> DIÉTÉTIQUE :
> 400 Kcal et plus
> ACCOMPAGNEMENT :
> pour les plus gourmands, servez avec une crème anglaise.

Tatin de bananes
en mille-feuille

Index